# Luz y vida en la oscuridad de la traición

De mujer abandonada y triste de espíritu te llamo, Jehová, y como a esposa de la juventud que es repudiada, dijo el Dios tuyo.

**Nancy Elizabeth Figueroa Palacios**

Publicado por Ibukku, LLC
**www.ibukku.com**
Diseño de portada: Ángel Flores Guerra B.
Diseño y maquetación: Diana Patricia González Juárez

ISBN Paperback: 978-1-68574-430-4
ISBN Hardcover: 978-1-68574-432-8
ISBN eBook: 978-1-68574-431-1

# Índice

*Por un breve momento te abandoné, pero te recogeré con grandes misericordias.*

Isaías 54:6

*Armas* ***de poder,*** *las cuales no son de la milicia, no son carnales, sino poderosas en Dios, para la destrucción de fortalezas.*

2 Corintios 10:4

Y para pelear con el verdadero enemigo

el arma # 1,

y con la cual tienes la garantía de una victoria es

Jesucristo:

conócelo y descubre quién es y quién eres para Él.

Esto cambiará la forma de verte en el espejo de tu vida, ya que conocerás:

tu verdadera identidad

un corazón sano

el arrepentimiento

el perdón

el amor

la fe

la oración

el ayuno

la sabiduría

la Biblia

la obediencia

los frutos del espíritu

la misericordia

la justicia de Dios

oraciones

promesas de Dios

# Propósito de este manual

Que, en medio del dolor, la traición, el abandono, la soledad, la duda, la culpa, la frustración, la desilusión, la inseguridad y la incertidumbre de tu desierto, tan solo, con un paso de fe, encuentres la puerta que te traerá luz, paz, entendimiento, revelación de tu proceso, y junto con ello, el descubrimiento de tu verdadera identidad, el porqué del dolor profundo, en tu corazón. Estas armas no son de la milicia, sino poderosas en Dios. Te sanen el corazón y levanten a esa guerrera que hay en ti. Y también podrás entender el porqué de la actitud de quien te dañó y el porqué la importancia de soltar y perdonar, pues este perdón será una parte clave de tu nuevo comienzo.

Aprenderás que esa tormenta que dio un giro a tu vida de ciento ochenta grados y trajo con ella tinieblas, tristeza, frustración falta de perdón, coraje, mentiras, desprecio, y mil preguntas sin respuestas, cayendo en depresión, estrés, desánimo y muchas por desgracia en vicios o amargura, no te derrumbará aunque te sientas marchitando poco a poco viviendo sin vivir, mirando sin mirar, caminando sin avanzar, y lo peor, que aun cuando tienes promesas de Dios esperas sin creer.

Aprenderás a poner todo tu corazón, toda tu mente y todas tus fuerzas en Jesucristo y quitar la mirada de esa tormenta.

Harás lo que no has hecho y verás lo que no has visto. Si puedes creer atrévete a cruzar la puerta, no tienes nada que perder, y te aseguro sí mucho que ganar, pues ya no estás sola.

Ahora sabrás y conocerás al ser que te ama de verdad y darás gracias a Dios por esto que ahora no entiendes, que solo duele, pareciera que no tiene final. Recuerda: todo tiene su tiempo.

Pon tu confianza en Dios y tu corazón dispuesto, y te ayudarán a renacer como el águila, aun por encima de la tormenta, tan solo por la gracia del que te llamó y cree en ti.

# Acerca de la autora

Nancy Figueroa, por la gracia de Dios una mujer como muchas que pasan desapercibidas ante el mundo, siendo sin darse cuenta esclava y afanada, con un corazón lleno de heridas y fracturas muy profundas, llena de sueños, ilusiones, defectos, virtudes, pero amando de manera equivocada, peleando con el enemigo equivocado, con las armas equivocadas y con la identidad equivocada, dejando a un lado a quien verdaderamente me amaba y su vida dio por mí.

# Resumen

El 30 de enero de 2016 fue el día en que a mi vida llegó la noticia que jamás esperé: Dios hacía que lo oculto saliera a la luz, por lo cual muchas veces clamé en medio de una agonizante incertidumbre, al ver cómo mi matrimonio de 22 años se desmoronaba, sin saber cómo ni por qué. Y ahí comenzó este proceso o nuevo inicio, y la vida nueva que Dios me regaló, y todas las enseñanzas que aquí te comparto, las cuales me dieron la luz en medio de todas las preguntas y oscuridad que me dejó esa experiencia, pues en cada etapa de este proceso Jesucristo me iba enseñando, instruyendo y levantando con cada arma que el diseño para sus guerreras, las cuales ya te mencioné y verás más adelante.

La traición: es el lazo que el enemigo quiso usar para destruirme, pero fue lo que mi padre hermoso usó para levantarme y transformarme en una nueva mujer. Bueno, más bien me enseñó quién era yo como Él me diseñó. Conocí a una mujer que ni siquiera me imaginé y Dios me ha llevado a lugares que ni siquiera soñé, como predicar en un púlpito, dar consejería a mujeres, predicar en la radio y ser una mujer de bendición a otros, y volver a vivir, o más bien comencé a vivir, pues ahora ya tenía el conocimiento de que soy hija de DIOS, y soy amada, y completa en Dios, que valgo mil y que no mas estaré sola ni caminaré en mis fuerzas, sino de la mano de mi Jesús y con sus fuerzas, pues, aun con muchos tropiezos y obstáculos por la incredulidad, el desánimo, el dolor, la desobediencia y las malas decisiones mi papi, mi Jesucristo hermoso, me ha mantenido de pie por su amor y misericordia, ENSEÑÁNDOME EL VALOR DEL ARREPENTIMIENTO, El PERDÓN Y EL AMOR.

Siempre dije que nunca perdonaría una traición y el enemigo lo escuchó. Acababa de pasar la muerte de mis padres, pero aún ese dolor no fue comparado con lo que sentía, pues mis padres sufrían y ya lo esperaba.

Este dolor venía con humillación, rechazo. Me sentía burlada, no quería ver a nadie, ya no tenía sentido mi vida. Todo mi mundo, mi corazón, mis sueños y mis ilusiones se desmoronaron en mil pedazos. Lo increíble de Dios es que cuando para mí era el final para él era el principio de la vida nueva que Él tenia para mí, como su princesa, como la niña de sus ojos, y me mostraba y daba su amor incondicional, ese que sacó de mi vida ahora todo temor. Aunque yo era ya cristiana desde ya hacía muchos años, no tenía esa relación que Él anhela con cada uno de nosotros. Es por eso por lo que siempre sentimos un vacío, pues la parte de la divinidad de Dios en nosotros no es alimentada y tiene hambre de la presencia de Dios, LA ORACIÓN, LA FE, EL AYUNO, LA PALABRA, LA OBEDIENCIA, LA MISERICORDIA, LOS FRUTO DEL ESPÍRITU, LA JUSTICIA... Estas son armas que me instruyeron y trasformaron mi forma de conocer a DIOS.

Pero al ser seres naturales no lo entendemos y nos aferramos a algo que creemos, que llena ese vacío, y lo volvemos una forma de vida convirtiéndolo en lo que Dios aborrece, en idolatría delante de Él.

Entonces nos vamos convirtiendo en esclavas y afanadas, y DIOS tuvo que permitir que eso que me separaba de él me fuera quitando para poderlo mirar y poder darme las bendiciones que Él tiene, preparadas, pero sobre todo para cambiar el rumbo de mi vida de una manera que, si alguien me hubiera dicho, no lo habría creído, simplemente no me imaginaba que existía.

Es a donde para cada uno es diferente la prueba y la forma de verla. Para mí la idolatría al HOMBRE y al trabajo fue lo que puse delante de Dios y me lo mandó a decir, y esta vez por escrito. El enemigo lo sabe y también conoce tu propósito y lo que eres para DIOS, por eso se encarga toda la vida de desviarte de Dios y tu propósito, poniendo deleites del mundo para distraernos y alejarnos de la verdadera fuente de vida Jesucristo. Pero, gracias al amor y la misericordia de Dios y a las armas poderosas, en Dios iba sanando, mi corazón y ya con mi verdadero yo. Comprendí que en Dios lo tengo todo, y poco a poco de acuerdo a mi madurez y sabiduría Dios ha ido restaurando y retribuyendo lo que se me había quitado, y no solo eso, sino que entonces me di cuenta de que ya tenía vida, y vida en abundancia, y la seguridad de que toda tribulación pasará y no se parece con la bendición venidera, después de voltear el rostro a Dios, dar el paso de fe al cruzar la puerta que es Jesucristo, dejar de hacer las cosas a mi manera, soltando a todos y todo al control de Él, buscarlo con todo mi corazón, y no porque yo sea muy buena, sino por agradecimiento de que mi Padre hermoso que nunca desistió de llamarme, aunque yo muchas veces lo rechacé. Con su amor logré encontrar su reino y conocer la paz, que sobrepasa todo entendimiento, pues ya no vivo yo sino Cristo en mí, porque el Dios al que servimos no está muerto, Él vive y nos ama. Aprendí a amar, a orar, y creer en Él a pesar de toda la tempestad, pues él nos dará lo mejor, aunque no lo entendamos.

Paso a paso con cada arma me enseñaba, me ministraba y sanaba. Lo hizo durante cinco años, y entendí que Él era todo lo que me hacía falta mi proveedor, mi amigo, mi compañía, en la soledad y mi refugio en los momentos de quebranto, pues en el desierto habrá sed, soledad, frío, calor, dolor, pero Dios será tu nube en el día, el río de agua viva, tu llama de calor y luz en la obscuridad, pero sobre todo tu fuerza y seguridad de que la pelea está ganada, pues no es tuya la guerra sino de Dios. Hoy soy otra mujer, mucho mejor, y solo por su gracia y para su gloria me dio promesas, paz, respuestas, un corazón y una vida nueva, y lo más increíble, la oportunidad de escribir este manual para ti, que es algo que nunca imaginé poder hacer.

# Dedicado a

Primero, a Nuestro Padre eterno en el cielo, Jesucristo, el señor de mi vida y mi proveedor quien renunció a ser igual a DIOS por todos, *Fil 2:4.7* que por medio del espíritu de DIOS que mora en nosotros redarguye, consuela y trasforma.

A mis hermosos y amados hijos, Anita, Jorgito y Toñito, y a mis nietos, quienes han sido mi fortaleza, y a mi nuera hija, Karla, quien fue un pilar que Dios puso para sostenerme y consolarme. A mi Blanquita, MI AMIGA, quien me sostuvo en sus brazos en los momentos de mayor dolor. A mi valiente prima Ibón, quien Dios usó para quitar vendas de mis ojos. También a todas esas personas que Dios en su misericordia puso a mi lado para levantarme.

Aunque ya no están, a mis amados padres, Filiberta y Eva, mi gordis y J. Francisco, mi pancholín, quienes sé que estarían muy orgullosos de ver lo que mi Jesucristo ha hecho en mi vida.

Y por último a mi amado esposo quien Dios puso ahora en mi vida para llenarla de amor, ternura, comprensión, alegría, etc. ANTONIO VELA.

# Primera promesa a las princesas guerreras

*No temas, porque yo estoy contigo.*
*No te desalientes, porque yo soy tu Dios.*
*Te fortaleceré ciertamente.*
*Te ayudaré, sí, te sostendré con la diestra de mi justicia.*

Isaías 41:10

# Oración para comenzar

*Es necesario recibir a Jesucristo como señor y salvador de tu vida, ya que así le das el derecho de entrar en tu vida y sanarte, así como adquieres el derecho de ser llamada hija de Dios y coheredera junto con Jesucristo de las promesas y bendiciones.*

San Juan 1.12

Oh, Jehová, Dios padre eterno, sé que desde el cielo me escuchas y me amas y me has buscado, y por tu gracia es que hoy yo (tu nombre) recibo a tu hijo amado Jesucristo como señor y salvador de mi vida. Deseo que sea mi consejero, amigo, abogado, proveedor, mi pronto auxilio, pero sobre todo mi refugio, esos brazos que me abracen, ese amor que quite de mí todo temor, el bálsamo que traiga sanidad a mi corazón, esa mano que me levante de esta y de cada caída, y mi guía para no errar de tu propósito en mí.

Te ruego que me perdones mis pecados, aun los ocultos y palabras ociosas, y aquellas de muerte que han salido de mi boca. Perdóname, Padre mío, por huir de ti sin saber que tú eres la luz y la vida.

Te pido que produzcas en mí el querer como el hacer por tu buena voluntad tomar la decisión de perdonar y soltar las ofensas, así como renunciar al derecho de venganza con aquellos que me han lastimado. Sana mi alma, señor, sana todo mi interior, hasta las grietas profundas, pues reconozco que yo también he hecho mal y el pecado primero contra ti. Dame el don de tener un verdadero arrepentimiento y escribe mi nombre en el libro de la vida, y no me sueltes nunca de tu mano. Cúbreme con la sangre de Cristo y tu luz me alumbre siempre. Te lo pido en el nombre de Jesucristo, tu hijo amado. *Amén.*

# Oración por que este nuevo comienzo esté en las manos de Dios

Padre hermoso, vengo a ti con mi corazón humilde, lleno de fe, creyendo que tú eres fiel y verdadero, y que me amas y me escuchas. En el nombre de Jesucristo me pongo en tus manos, para que me transformes, y renuncio a mi vieja naturaleza pecaminosa. Ahora ya no vivo yo sino Cristo en mí. Lo viejo pasó, he aquí tú haces todo nuevo. *2 Corintios 5:17*

Transfórmame, Padre hermoso, en mi mente, mi alma, mi corazón, para que te ame y a mi prójimo como a mí misma. *Mateo 22:37.39*

Renuncio a todo lo que no está bien en mí. Te lo entrego y también te doy el control de mis emociones, ya que estas han sido lastimadas, y por esto he tenido una falsa identidad.

Escrito está: de Jehová es la tierra y su plenitud; el mundo y lo que en él habita. Por eso vengo a ti. Tú me diseñaste, tú sabes cómo sanarme y levantarme. *Salmos 24*

A ti, oh, Jehová, levantaré mi alma. Dios mío, en ti confío. *Salmo 25*

No arrebates con los pecadores mi alma ni mi vida con hombres sanguinarios. *Salmo 26*

Jehová es mi luz y mi salvación. ¿A quién temeré? *Salmos 27*

A ti clamo, oh, Dios, roca mía, no te desentiendas de mí. *Salmos 28*

Jehová, no me reprendas en tu furor ni me castigues en tu ira. *Salmo 38*

Lávame y seré más blanca que la nieve.

Crea en mí, oh, Dios, un corazón limpio.

Abre mis labios y publicará mi boca tu alabanza. No quieres sacrificio que yo lo daría, que tenga yo un espíritu quebrantado y un corazón contrito y humillado porque no lo desprecias tú. ¡Oh, Dios, sálvame! *Salmos 51*

Porque las aguas han entrado hasta el alma mía. *Salmos 69*

Oh, Dios, no guardes silencio. No calles, oh, Padre, ni te estés quieto. Ahora diré yo tú eres mi esperanza y mi castillo. No temeré por sé que estás conmigo, porque soy tu hija y si hija también coheredera juntamente con Jesucristo, a quien diste en sacrificio, por mi salvación. Soy tu princesa, la niña de tus ojos, nación santa, que ese valor, me lo den todos a mi alrededor, que me miren como tú me miras y que yo misma encuentre mi valor en ti y mi identidad como hija. Cámbiame, te entrego mi carácter falso, que solo me llevo a dañar lo que más amaba y a alejarme de ti. La soberbia, el orgullo, el egocentrismo, el ser controladora, posesiva, dura, iracunda, aislada, afanada, idolatra, incrédula, juzgona, siempre suponiendo. He sido indiferente, a veces violenta, mentirosa, manipuladora, desconfiada, infiel, muchas veces dejé que me controlara la autoconmiseración, el autoengaño, la depresión, la falta de perdón, la ira, el desánimo, el deseo de venganza, la incredulidad.

*(Anota todo lo que crees o DIOS te vaya revelando que te estaba alejando de mirar y buscar tiempo de calidad con Dios).*

Y a causa de todo esto dejaba de mirarte y bajaba mi vista a la tormenta y me hundía y caminando, solo en círculos.

Tomo y recibo esta promesa a mi vida y te doy gracias, Padre de la gloria, porque tú haces mucho más abundantemente de lo que podemos pedir o entender. *Efesios 3:20*

Átame a tu santo Espíritu y espíritu noble me sustente.

Lléname de tu gracia, favor y unción para nunca alejarme de ti y no me sueltes de tu mano nunca. Te lo pido, papito, y sé tú mi Jesucristo, mi luz y salvación, mi amigo, mi consejero, mi Padre eterno, mi proveedor, mi señor y salvador, pero sobre todo mi refugio y pronto auxilio.

Encuéntrame cada vez que huya, no me dejes a manos de mis enemigos, porque tú eres mi pastor y sé que nada me faltara. *Salmos 23*

¿Por qué? ¿A dónde me iré de tu espíritu? ¿A dónde aire de tu presencia?

Si subiere a los cielos ahí estas tú, y si en el sol hiciere mi estrado, he aquí, allí tú estás, sin tomaré las alas del alba y habitaré en el extremo del mar. Aun allí me guiará tu mano y me asirá tu diestra. *Salmos 39*

De día y de noche anhelo escucharte, ¡no calles! Quita toda sordera espiritual y todo impedimento que no he visto para entender tus instrucciones.

Guíame cada día con tu amor, dame de la maravillosa sabiduría e inteligencia de ti para ser de bendición a multitudes.

Te pido, Jesucristo, que abogues por mí. Cúbreme con tu preciosa sangre, porque escrito está: Jesús dijo: «Yo soy el camino la verdad y la vida nadie viene al padre si no es por mí». Sana mi corazón hasta la fractura más profunda y saca en mí toda raíz de tristeza, dolor, rechazo, humillación, abandono, violencia, desilusión, inmundicia, lascivia, idolatría e incredulidad.

Llena mi mente de tu sabiduría

Llena mis manos de tu unción

Llena mis labios de tu alabanza

Llena mi corazón de tu amor

Y tu misericordia, así tendré un corazón sano y fuerte entendido de ti. Llena mi cuerpo y mi alma de tu fortaleza. Endereza mis veredas, para que todos mis caminos sean hacia ti

Sé mi consejero, padre eterno, Dios, fuerte príncipe de paz, para ser luz a los que están en tinieblas y te miren en mi nueva vida.

Porque escrito esta:

Y sabemos que para los que aman a Dios todas las cosas cooperan para bien, esto es, para los que son llamados conforme a su propósito. *RM 8:28*

Que mi familia vea en mí a una nueva mujer, que mi esposo (si está) conozca en mí su ayuda idónea, su refugio, después de ti dame humildad mirando por lo de los demás, primero y no solamente por lo mío, y deseo y te pido con mi corazón que tu espíritu santo pose sobre mí, me redarguya y me trasforme de acuerdo con tu voluntad, que siempre tenga yo hambre de ti, de estar en tu presencia, entregando lo que no me pertenece, y tomando los frutos de tu espíritu y toda bendición de ti. Gracias, porque sé que siempre me escuchas y me amas y concedes los deseos de mi corazón, aunque yo no comprenda tu proceder. Todo esto te lo pido en el poderoso nombre de Jesús. Recibo tu paz y descanso, en ti mis cargas, pues ahora sé que yo no puedo cambiar a mi fan, pero tú sí, y sé que todo lo tienes bajo control en tu mano. Padre santo, otra vez gracias. Padre hermoso, ata sea la gloria y la otra por los siglos. Amén.

# Amada princesa guerrera

En el nuevo inicio de la vida que DIOS tiene para ti tendrás que ser lo más sincera y esforzada para con Dios y contigo misma. Hay un proceso muy duro, pero gracias a este conocerás a la gran mujer que está dentro de ti, pero tienes que ser muy astuta y no caer en las acechanzas del diablo, pues intentará por todos los medios sacarte de tu propósito ejemplo:

el tiempo = de repente tendrás demasiadas cosas que hacer

el desánimo = al no ver lo que quieres ni cómo quieres

la incredulidad = esta viene porque no tienes un conocimiento de DIOS íntimo

la distracción = esta la usará para que dejes de mirar a Cristo y voltees a mirar tu tormenta

la tribulación = de repente hay problemas los cuales DIOS tiene bajo control, pero la distracción hará que lo veas más grande

la escasez = falta de algunos recursos. Pero recuerda cuando DIOS permite la escasez, es para llenarte de lo nuevo, Dios hará de ti una nueva criatura y te levantará en sus manos como la princesa que eres. Claro, habrá pruebas, caídas, desanimo, pero por encima de eso verás las maravillas de Dios ente vida y todo esto será una catapulta hacia la victoria, pues esta tribulación pasajera no se compara con la bendición venidera, y serás un árbol de grandes frutos, te llenarás del espíritu de DIOS transformador al dar tu confianza a él y dejar que sane tu corazón. Cuanto más te enfoques en restaurar tu relación con Dios, más rápido pasará la tormenta. Esta no cesará si no sueltas el pasado y el dolor dejando que la palabra de Dios te enamore, te fortalezca, te ministre, te dirija y te llene de fe al oírla y conocer al que te ama y tiene el poder para traerte paz y una nueva vida.

Dios es el que produce en nosotros así el querer como el hacer por su buena voluntad *fil 2 :13*

En ti está el crecer y madurar espiritualmente en la medida que te acerques a la presencia de DIOS, y lo ames y sea tu fuerza, tu refugio en lo secreto para encontrar el tesoro que escrito está: «Buscad el reino de Dios y su justicia y todo todo vendrá por añadidura a tu vida y la de los que amas». *Mti 6:33*

A mí me costó caminar por el desierto debido principalmente a la incredulidad y no poner de lleno mi mirada en Cristo, sino en aquello que había sido mi esclavitud, agradar a mi esposo y convencerlo de todas las maneras posibles de que se equivocaba, cuando la ciega y equivocada era yo, que viví en un mundo de mentira. ¿Sabías que el pueblo de Israel tardo 40 años en salir del desierto por la queja la incredulidad la idolatría siendo que era un recorrido de más o menos 11 días?

# Guerrera

Es aquella que después del peor dolor de su vida decide como las águilas vivir el dolor del proceso de su transformación para volar por encima de la tormenta.

Es aquella que sabe que no es suya la pelea sino de su Dios fuerte y poderoso, quien creó lo visible y lo invisible.

Es aquella que no pelea con las armas del mundo, sino con las que son poderosas en Dios para derribar fortalezas.

Es aquella que consulta cada día con Dios la próxima decisión.

Es aquella que confía su casa en la roca que es Jesucristo.

Es aquella que no tiene miedo en medio de la tribulación, pues sabe que pelea la buena batalla de la fe.

Es aquella que crece como el cedro del Líbano: primero echa raíz profunda, se abre paso entre las rocas y la sequedad, y después de años sale para crecer fuerte y soportar las tempestades.

Es aquella que descubrió que la obscuridad solo era su plataforma para la nueva vida en Dios.

Es aquella que, a pesar de haber cometido grandes errores, sabe que no es en sus fuerzas sino en las de Dios y Él es quien la levantará.

Es aquella que sabe que al Dios que sirve y adora no está muerto, Él vive.

*Él es Jesucristo, el rey.*
*Bienaventurados los limpios de corazón porque ellos verán a DIOS*

Mt 5:8

Qué hermosa promesa... ¿Tú lo crees? ¿Cómo está tu corazón ahora?

Escribe o dibuja cómo está tu corazón, esto te ayudará a ir viendo tu crecimiento.

# El arma más importante, Jesucristo

Él es el único ser que tiene el poder para realmente cambiar tu vida. Claro, si ya lo has invitado a ser parte de ella.

¿Por qué? porque él ha dado la suya por la tuya en una cruz y te compró a precio de sangre para limpiarte de toda inmundicia y seas llamada santa, real sacerdocio escogida por Dios. No es casualidad que estés ahora leyendo, esto era plan de Él.

Jesucristo es admirable, consejero, padre, eterno Dios, fuerte príncipe de paz, y es y será el ser más maravilloso, majestuoso y perfecto de todos los tiempos en la tierra.

Es la puerta que debemos cruzar para entrar al reino de DIOS. *Juan 10:9*
Es quien perdona y da salvación. *Mt 1:21*
Es el cordero de DIOS que quita el pecado del mundo. *Juan 1:29*
Es quien provee del sustento de cada día. *Mt 15:36*
Es quien te da descanso en las tribulaciones de esta vida. *Mt 11:28*
Es quien sana heridas y enfermedades, porque él ya los llevó en sus llagas *Is 53:5*
Es el amigo que siempre está ahí para consolarte y ayudarte. *Juan 15:15*
Es el único que ha dado su vida por ti, la cual te liberta y te redime. *Heb 9:14*
Es el camino, la verdad y la vida. *Juan 14:6*
Es quien nos llama al arrepentimiento. *Lc 5:32*
Es quien te liberta de toda la maldad. *2 Cor 3:17*
Es la guía de los perdidos. *2 Cor 3:4,5*
Es tu pastor y nadie te quitará de su mano. *Juan 10:27,28*

Podríamos hacer hojas y hojas y no acabaríamos de describir al ser más maravilloso de la creación, Jesucristo el Señor.

En la pasada oración comenzamos con el maravilloso privilegio de aceptarlo en tu vida.

Ya que cualquiera que me niegue delante de los hombres yo también lo negaré delante de mi padre, que está en los cielos. *Mt 10:33*

Por lo tanto, si alguno está en Cristo, nueva criatura, es lo viejo ha pasado. *2 Cor 5:17*

Porque la paga del pecado es muerte, mientras que la dadiva de Dios es vida eterna en Cristo Jesús nuestro señor. *Rom 6:23*

Al conocer más cada día a Jesucristo también conocerás tu identidad como hija de DIOS para defenderte de las acechanzas del enemigo.

Nadie te da la paz que sobrepasa todo entendimiento como la da él y el gozo que no se acaba, descúbrelo.

Dios es tan real como el viento, no sabes por dónde vendrá, no lo ves, pero lo puedes sentir y ahora al saber que aquella luz verdadera, que alumbra a todo hombre, venía a este mundo en el mundo estaba, y el mundo por él fue hecho; pero el mundo no le conoció, a los suyos vino y los suyos no le recibieron.

Mas a todos los que le recibieron, a los que creen en su nombre, les dio potestad de ser hechos hijos de DIOS *San Juan 1:9,12*

Esa luz verdadera que es Jesucristo es la que te alumbrará a partir de ahora, y no solo eso, sino en él tenemos la seguridad de que somos amadas por el rey de reyes, y su perfecto amor sacará todo temor de tu vida.

En esto consiste el amor: no en que nosotros hayamos amado a Dios, sino en que él nos amó a nosotros y envió a su hijo en propiciación por nuestros pecados.

Amados, si Dios nos ha amado, así debemos también nosotros amarnos unos a otros.

Nadie ha visto jamás a Dios. Si nos amamos unos a otros, Dios permanece en nosotros y su amor se ha perfeccionado en nosotros. *Juan 4:10,13*

Ese amor perfecto llenará tu vida de una nueva paz, que te dará fuerzas como a las águilas para levantar el vuelo, y verás abrirse puertas en el desierto y ríos en la soledad.

# ¿Cuál es mi verdadera identidad?

Para saber quién soy, primero tengo que saber:
¿de dónde vengo? ¿por quién fui diseñada?
¿cuándo fui diseñada? ¿para qué fui diseñada?
¿qué identidad me dio quien me diseño?

## ¿De dónde vengo?

*Entonces jehová Dios hizo caer sueño profundo sobre Adán, y mientras este dormía, tomó una de sus costillas y cerró la carne en su lugar, y de la costilla que jehová Dios tomó del hombre hizo una mujer y la trajo al hombre.*

Génesis 1:21,22

DIOS usó el hueso más cercano al corazón del hombre. Esto quiere decir que fuiste hecha de vida y para dar vida, no para herir ni para destruir. Por eso es por lo que se supone que debemos ser sensibles, tiernas, dulces, pero a la vez fuertes y protectoras.

El hueso de la costilla es extremadamente liviano, y en 1 Pedro 3:7 DIOS nos enseña que la mujer es y debe ser tratada como a vaso más frágil.

La tarea principal del hueso de la costilla es la protección de los huesos torácicos internos y la palabra nos dice, en Prov 31:11,12, que en la mujer está confiado el corazón de su marido.

Los huesos de las costillas son altamente resilientes, esto quiere decir, es la capacidad de cualquier material para volver a su forma original después de ser aplastado.

Una persona resiliente es aquella que tiene la capacidad para pasar y superar experiencias traumáticas, no rendirse ante el fracaso, y volver a intentarlo una y otra vez.

Así nos diseñó Dios. Por eso el enemigo se ha encargado de que tengamos ignorancia de nuestra procedencia.

**¿Por quién fui diseñada?**

> *Este era en el principio con Dios todas las cosas por el fueron hechas, y sin el nada de lo que ha sido hecho fue hecho.*
>
> San Juan 1:2,3

Esto quiere decir que fuiste diseñada por Dios, el que hizo todo, y como él es perfecto no se equivocó, y todo lo que DIOS diseña fue hecho con amor verdadero.

**¿Cuándo fui diseñada?**

> *Vino, pues, palabra de Jehová a mí, diciendo: «Antes que te formase en el vientre te conocí, y antes que nacieses te santifique, y te di por profeta a las naciones».*
>
> Jeremías 1:4,5

Guau... Entonces no es que nuestros padres nos hayan diseñado, sino que haya sido la situación que sea en que naciste, nada fue deseo de hombres, sino que naciste por deseo de Dios, el padre de padres y señor de todo, el grande, soberano, poderoso, quien hizo las grandes lumbreras y extendió los cielos y la tierra.

Si tú has sido de esos hijos que nacimos por accidente o chiripa y alguna vez te dijeron que no fuiste deseado, y esto te causó una herida, pues solo fue mentira del diablo. Ahora sabes que te deseó el padre de tus padres para un propósito.

## ¿Para qué fui diseñada?

*Todos los llamados de mi nombre para gloria mía los he creado, los formé y los hice.*

Isaías 43:7

*Vosotros sois la luz del mundo. Una ciudad asentada sobre un monte no se puede esconder. Así alumbré vuestra luz delante de los hombres, para que vean vuestras buenas obras, y glorifiquen a vuestro padre que está en los cielos.*

San Mateo 5:14,16

*Jesús le dijo: «Amarás al señor tu DIOS con todo tu corazón, y con toda tu alma, y con toda tu mente. Este es el primero y gran mandamiento. El segundo es semejante: amarás a tu prójimo como a ti mismo.*

San Mateo 22:37,38

Qué hermoso propósito... Pero yo creo que ni siquiera idea teníamos de esto, pues el mundo nos enseña lo contrario, más ahora en este tiempo que amar a Dios es causa de burla o de persecución.

Claro que para cumplir esto no hay nada más que conocer a Jesucristo y comenzar una relación con él, para ser sanas y con un corazón limpio enamorarnos de él y cumplir nuestro propósito no pasa en un día, pero cada día la irá perfeccionando su obra en nosotros. Así que siéntete agradecida por esta prueba, pues es la puerta para regresar a tu primer amor y él ya te encontró.

## ¿Y qué identidad me dio quien me diseñó?

Quien soy en Cristo, soy hija y si hija coheredera juntamente con Cristo Jesús. *Rom 8:17*

Porque la vieja mujer que yo era fue sacrificada juntamente con él para que el cuerpo del pecado sea destruido a fin de que no sirvamos más al pecado. *Rom 6:6*

Ahora todo lo puedes en Cristo que te fortalece. *Fil 4:13*

Soy real, sacerdocio, nación, santa escogida por DIOS, pues me formó desde el vientre de mi madre y antes de la fundación del mundo.

Ya no hay condenación para mí, pues ahora ando conforme al espíritu y no en la carne. *RM 8:1*

Soy vivificada por el espíritu de Dios. *Rom 8:11*

Soy la luz del mundo. *Mt 5:14*

Soy la sal de la tierra. *Mt 5:13*

Soy templo de DIOS y su espíritu mora en mí. *1 COR 3:16*

Soy libre de la ley del pecado y de la muerte por el espíritu de vida en Cristo. *Rom 8:2*

Las aflicciones de este tiempo no se comparan con la gloria que en mí ha de manifestarse. *RM 8:18*

Fui escogida desde los confines de la tierra. *Is 41:9*

Ninguna arma forjada contra mí prosperará. Is *54:17*

Mi socorro viene de Jehová, que hizo los cielos y la tierra. *Salmos 121:2*

Jehová esta conmigo, no temeré lo que me pueda hacer el hombre. *Salmos 118:6*

Soy escuchada por DIOS. *Salmos 116:2*

Soy libre de toda ansiedad. *1 P 5:7*

Soy tan amada por mi padre que dio a su hijo en sacrificio por mí *Juan 3:16*

Soy más que vencedora por medio de Jesucristo. *Rom 8:37*
Aunque ande en valle de sombras de muerte no temeré. *Salm 23:4*

Con sus plumas me cubre y debajo de sus alas estaré segura. *Salmos 91:4*

Soy oveja de Cristo dada por DIOS. *Juan 10:29*

Para DIOS vales más que una joya preciosa. *Prov 31:10*

Eres la niña de sus ojos. *Zac 2:8*

¡Cómo ves no eres lo que el mundo y el enemigo te habían dicho! Eres el instrumento de Dios, ya que por tu testimonio de transformación traerás a tus seres amados y a muchos a los pies de Cristo, y eso es una paz y gozo que llenará tu alma como no te imaginas.

**Mentiras del diablo.**

El mundo te decía
no vales
no puedes
no mereces
eres fea
eres débil
eres incapaz

Lo que más destruye es escuchar esto de los que amas y no imaginaste escucharlos en el momento más duro de tu vida, cuando sientes que tu corazón explotará del dolor que esto causa.

Pero la palabra de Dios dice no poner la mirada y la confianza en el hombre sino en Dios, y lo malo es que las mujeres la mayoría de las veces cometemos ese error, ya sea por ignorancia o por necesidad de compañía o una palabra de amor, y esto hace que pongamos al esposo, a las hijos o el trabajo delante de Dios.

Y Dios, en su maravilloso amor, permite que sea quitado esto de ti para quitar las vendas y las cadenas de esclavitud, PUES A VECES TIENE QUE DESTRUIR TU PLANES PORQUE ELLOS TE IBAN A DESTRUIR A TI.

El enemigo se deleita en dañarte con lo que amas y sabe que así dolerá más para destruirte. Por eso tienes que fortalecerte, levantarte y revestirte de la nueva ropa que te da Jesucristo, quien ahora pelea por ti.

El abandono es un arma poderosa del enemigo para destrucción, pero, si realmente entiendes el verdadero propósito que este trae a tu vida de parte de Dios, saldrás victoriosa, porque veras que es tu oportunidad para encontrar o retomar los sueños que hay en ti y es la libertad de tu espacio y de tu tiempo para enamorarte de Dios, de ti. AHORA SE TRATA DE TI Y DE ÉL.

Conocer de ti a la persona que Dios diseñó y no a la que el mundo formó. Créeme, sé que ahora no lo entiendes, pero todo es para bien, no te atormentes, solo vive un día a la vez.

El pasado ya pasó
El futuro es incierto
Solo tienes hoy.

Qué triste escuchar esto, pero recuerda: el enemigo te odia y usará lo que más amas para decirte cuánto te quiere destruir.

*no sirves* *fea* *ya no me sirves*
*eres ignorante* *ya no te amo* *tonta*
*eres ridícula* *estas loca* *gorda*
*estas vieja* *no me importas*
*ten dignidad ella o él es mejor que tú*
*puede más la costumbre que el amor*
*no quiero estar contigo*

Hay palabras que matan, cuida que no salgan de ti, son mentiras del diablo, pues también te usara a ti para destruirte.

*me odio* *el amor se acabó* *soy fea*
*estoy vieja* *me lo merezco*
*ya no tiene sentido la vida* *ya no podré*
*todo se acabó* *no sirvo para esposa*
*moriré* *fracasé como madre* *soy tonta e ilusa*
*todo fue en vano* *nunca podré* *ya no hay más*
*para que seguir* *mejor me voy al mundo*
*me vengaré*

# Palabras que provienen del padre y de su espíritu de amor y dan vida

morí por ti amada, eres mi princesa, te
amo, se valiente mi niña, soy tu sanador, solo cree,
eres una mujer virtuosa y valiente, en mí está tu esperanza,
tú todo lo vales, soy tu DIOS fuerte que peleo por ti a donde
estés. Eres la sal que da sabor a lo que amas, eres la luz
que haré brillar en medio de la oscuridad que el dolor trajo a
tu vida, soy tu proveedor todos los días de tu vida, no temas,
eres hermosa, eres capaz, eres victoriosa, estoy contigo, cree
que en mí hay nueva vida, mi amor no es limitado, eres
valiente, eres mi amada, sí, padre, mi futuro está en ti,
todo lo puedo en ti, soy templo de DIOS, ya no
vivo yo sino Cristo en mí, soy una nueva
mujer en Cristo, ahora seguiré con la fe
que todo pasa para bien, porque lo
que no me destruyó me
hizo más fuerte.
Jesucristo

Al no saber cómo Dios nos ve y diseñó vivimos con una falsa identidad y las emociones desequilibradas, y peor cuando esta validación no la tenemos de nuestro padre terrenal. Crecemos buscando aprobación de los demás y eso solo te trae baja autoestima, sin que te des cuenta, por eso el abandono duele más y, al no ser sanado tu corazón completamente, tampoco hay un genuino cambio en ti y al mínimo toque de esa fractura que no sea sanado tendrás una reacción no buena.

Y cuando en cualquier relación humana no está Dios en medio nos lleva a que los deseos de la carne nos dominen trayendo:

| | | |
|---|---|---|
| frustración | orgullo | resentimiento |
| culpa | terquedad | autoengaño |
| desanimo | falta de fe | depresión |
| vicios | soledad | enfermedad |
| pobreza | miseria | separación |
| esclavitud | afán | falsas distracciones |
| traición y dolor | humillación | baja autoestima |
| desprecio | deseo de venganza | celos |
| ira | impotencia | codependencia |
| comodidad | desorden | tristeza |
| inseguridad | infidelidad | amargura |
| falta de perdón | contienda | separación |
| odio | | |

Por lo regular la esclavitud es la más común de las ataduras, que nos impiden acercarnos a Dios. Por eso es por lo que Jesucristo nos libera como al pueblo de Israel y nos pasa por el desierto para encontrarnos con Él, solo Él y tú, pero lo mejor es que después está la tierra prometida, donde fluye leche y miel y comienzas a ver la nueva vida que Dios tiene para ti y el cumplimiento de las promesas.

**Esclavitud:** privacidad de la libertad, ya sea por alguien o algo que pasa por encima de nuestra estima, lo cual nos lastima y nos pone un velo que no nos deja ver la realidad ni a Dios.

Pero recuerda que Jesucristo es el libertador del mundo.

Sin darme cuenta me convertí en una mujer con amargura, mi carácter era explosivo.

A pesar de eso Dios en su misericordia siempre m guardó de odiar, y guardo mi corazón, aunque estaba lleno de dolor y tristeza, era sostenido por mi padre en el cielo. Claro, yo no lo sabía.

Siempre solía regañar a mis hijos, a mi esposo, cuando ellos solo querían mi amor y ternura. Fui muy cruel muchas veces, aunque los amaba.

Hoy me arrepiento, pero de todo hay consecuencias: se perdió el amor y respeto en mi matrimonio. No estaba DIOS en medio y el adulterio entró, pues él tomó decisiones equivocadas.

Pero desgraciadamente estamos en el mundo y nos dejamos llevar por lo que vemos y escuchamos de los demás.

Era ignorante a las cosas de Dios. Él dice: «Mi pueblo perece por falta de conocimiento, así mismo». *Oseas 4:6* Cada día sin darnos cuenta cavamos pozos y cuando tocamos fondo viene el dolor.

Al no conocer el amor de Dios y quien era yo en Cristo, mi único amor era el padre de mis hijos. Solo quería que él me abrazara, me consolara. Lo amaba a mi manera sin demostrárselo muy seguido. Bueno, lo hacía a mi manera, que era resolviendo yo todo y planeando todo. Pero eso no era lo que el necesitaba de mí y lo malo fue que no me lo dijo. Uno de los grandes errores del ser humano es dar lo que creemos que la otra persona necesita y no preguntar qué es lo que les gustaría recibir de nosotros.

Y así, cuanto más yo me aferraba a él, más él se alejaba de mí, hasta llegar a la traición. Dios sabía que solo eso me haría desprenderme de él y de la vida que llevaba.

Durante algún tiempo fui muy feliz, según yo. También él lo era, pero no era así porque no teníamos la paz y el gozo de Dios en nosotros. Yo ya era cristiana desde hacía muchos años, pero nunca tuve una verdadera relación con Dios, íntima y de calidad. Nunca dejé realmente que Jesús fuera el señor de mi vida, pues para mí era más importante la vida que yo ya tenía. Sí cambié algunas cosas, pero no entendía que necesitaba una transformación desde lo más profundo de mi ser y sanar las heridas desde la niñez, que era la libertad de toda esclavitud.

Así pasaron años, Dios estirando sus manos y yo esclavizándome más a los placeres de la vida, sin saber que los del mundo no se comparan con los que Dios te da, que son genuinos y no te esclavizan ni te oprimen.

De hecho, antes y en este proceso mi autoestima andaba por los suelos. Me miraba al espejo y le decía: «Espejito, ¿quién es la más bella?». Y me decía: «Cualquiera menos tú».

Y yo solo miraba a una mujer fea y poca cosa, maltratada y dejada de sí misma, y yo me decía: «Ay, como quiera tengo a mi familia, ellos son más importantes que yo misma».

Pero ahora sé que el espejito era el chonclado metiche, que Jesucristo lo reprenda, que quería hundirme y casi lo logra, cuando me enteré de que aquella personita que entró en mi matrimonio era más joven y bonita que yo.

Eso es algo que le funciona muy bien al malo, por eso es por lo que lo sigue usando contra las princesas de Dios.

Pero recuerda: lo que el usa para destruirte nuestro amado padre lo usa para levantarnos. En mi caso, la verdad, no era yo muy agraciada, hay que ser sincera, así que Dios también hizo el cambio externo. Me costó mucho trabajo, sobre todo paciencia y perseverancia.

Todo en mí se había secado, como si hubieras sacado a una planta de la maceta, pero solo era para ponerme en un gran jardín.

Un día me di cuenta de que era una mujer contenciosa, aparte de una mujer olvidada y abandonada no solo por su esposo, sino también por ella misma. Por lo afanado de mi trabajo me exponía al sol. Mi cara estaba manchada y avejentada, y solo reflejaba amargura, dolor, tristeza. Fue algo muy duro, pero es parte de lo que Dios nos libera, y necesitamos verlo para saber que hay que entregarlo pues no es nuestro.

Dios con su inmenso amor estaba junto a mí. Cerró mis ojos naturales y me decía al oído: «Esa no eres tú, yo te hice a mi semejanza. Yo sé lo que hay en ti, búscalo dentro de ti». La verdad, no entendía nada.

Pero comencé a hacer cambios en mí. Al principio la verdad solo lo hice para agradar a ese hombre que me despreció. Ese es un gran error.

Pero bueno cuando abrí mis ojos, los espirituales, me comencé a mirar como Dios me veía y no como el mugroso espejo me decía.

Y comencé a amarme y ahora a decirle al espejo: «Yo soy hermosa, yo soy una princesa, soy única y especial, aun por encima de mis defectos», porque Dios me diseño y comencé a enfocarme en mis cualidades, mejorándolas, y porque descubrí que si no amas a Dios y a ti misma no puedes decir que amas a alguien más.

Empecé a cuidarme y a hacer ejercicio. Fue un reto que me daba salud y al mismo tiempo ocupaba mi mente para no enfocarme en lo que me lastimaba.

Dios hace cosas maravillosas en tu vida cuando dejas que te dirija con su amor.

Ahora muchas personas ven mi cambio y me dicen: «¿Qué te hiciste», y les digo:

**«¡Mira lo que hace DIOS!».**

Se podría decir que salió la princesa que estaba en la rana.

Pero una parte muy importante de esa liberación es que conozcas que dentro de la falsa identidad también se esconden falsas actitudes, o más bien a causa de las heridas y entorno que hubo en tu vida se dañaron tus emociones y se descontrolaron.

Aquí te daré algunos ejemplos de por qué se descontrolan y cómo actuamos de acuerdo con este descontrol, y también cuál es el diseño de Dios de tus emociones.

Al nosotros ser diseñados por Dios el depósito, en nosotros amor y todo fruto del espíritu.

Pero al nacer y adquirir también la naturaleza pecaminosa comenzamos a vivir en los deseos de la carne.

Estos se vuelven más fuertes cuando desde niños NO SOMOS INSTRUIDOS Y VALIDADOS por nuestra familia o personas a nuestro alrededor.

Y los frutos del espíritu se van apagando, pues no tenemos la mayoría una ALIMENTACIÓN de ellos, porque casi nadie nacimos en cuna cristiana o vivimos rodeados de personas que nos alimenten de los pensamientos de Dios.

**Ser amados** es la necesidad más importante, tanto del ser humano como de Dios, y no porque Dios no tenga quien lo ame, sino porque Él nos amó primero y porque el amor es a mi ver el mayor tesoro, pues es capaz de cambiarlo todo. *Mt 22:37,38,39*

| **Cuando no somos amados** | **o nos aman de más (sobreprotección)** |
| --- | --- |
| Aquí normalmente se forma una baja autoestima pues la mujer se esclaviza por migajas de amor, ruega, se humilla, ante el hombre o persona que le demuestra el mínimo gesto de amor y atención . | Al ser muy amadas son orgullosas, vanidosas soberbias, creo que nadie lamerece, y piensa que las personas valen por su físico o posición social |
| El hombre se deja manipular, es esclavo de los más fuertes, se minimiza y no se siente capaz de lograr sueños | Al ser muy amados son orgullosos y se vuelven conquistadores fríos, y minimizan a la mujer. |

**DIOS dice:**

**De la mujer:**

Mujer virtuosa, ¿quién la hallara? Porque su estima sobrepasa largamente a la de las joyas preciosas. *Prov 31:10*

Nosotros amamos a DIOS porque él nos amó primero. *1 Juan 4:19*

**Del hombre:**

Entonces dijo Jehová: «Hagamos al hombre a nuestra imagen, y conforme a nuestra semejanza; y señoree en los peces del mar, en las aves del cielo, en las bestias, en toda la tierra, y en todo animal que se arrastra sobre la tierra». Y dijo Jehová DIOS: «No es bueno que el hombre este solo: le haré ayuda idónea» *Génesis 1:26 y 2:18*

Como vemos Dios nos demuestra su amor desde el principio, nos hizo semejantes a él y pensó en que tuviéramos a quien amar, y después nos da la mayor muestra de amor al dar a su hijo a morir en la cruz por limpiarnos de todos los pecados derivados de nuestras malas decisiones. *Juan 3:16*

Cuando tenemos esta validación, somos seres que sabemos amar con un equilibrio primero a Dios, a nosotros, a nuestros esposos, hijos y prójimo, y entonces, el amor verdadero viene a nuestra vida, ese que saca todo temor.

## El ser admirados o gloria

Este nos enseña que todos tenemos la necesidad de ser admirados, pero cuando no tenemos esta validación se desequilibran las emociones:

Por ejemplo:

Cuando al buscar admiración sentimos que valemos por lo que hacemos, no sabemos decir no, creemos que no tenemos derecho a cansarnos, queremos hacer muchas cosas a la vez, pero al mismo tiempo nos compadecemos y nos victimizamos somos reprochadoras y manipuladoras.

Cuando somos demasiado admiradas, somos controladoras, posesivas, autosuficientes, no mostramos sentimientos de debilidad, no pedimos perdón, somos desafiantes, quejonas y criticonas, creemos que nadie hará las cosas mejor que nosotras.

¡Guuauuuuuu!

**Veamos qué dice DIOS:**

Porque, así como el cuerpo es uno, y tiene muchos miembros, pero todos los miembros del cuerpo, aunque son muchos, constituyen un solo cuerpo. leer *1 Cor 12:12,27* Estos versos nos hablan de cómo para DIOS todos valemos lo mismo y somos igual de importantes, así también en las relaciones humanas debe haber empatía e igualdad y en los matrimonios dice DIOS:

**De la mujer:**

Asimismo vosotras, mujeres, estad sujetas a vuestros maridos, para que también los que no creen a la palabra sean ganados sin palabras por la conducta de sus esposas, considerando nuestra conducta casta y respetuosa con un corazón, en el incorruptible ornato de un espíritu afable y apacible, que es de grande estima delante de Dios. *1 Pedro 3:1 al 4*

Maridos, amad a vuestras mujeres, así como Cristo amó a la Iglesia y se entregó a sí mismo por ella.

Así también los maridos deben amar a sus mujeres como a sus mismos cuerpos. El que ama a su mujer, asimismo se ama, porque nadie aborreció jamás a su propia carne, sino que la cuida y la sustenta como también Cristo a la Iglesia. *Efesios 5:25 al 33*

Estas son las verdaderas actitudes que debemos tener con nuestras parejas como Dios nos diseñó. Cuando tenemos admiración y aceptación somos seres humanos inspiradores impulsadores, sabemos honrar y aceptar, así como amar incondicionalmente, poniendo nuestra esperanza en Dios, en que Él puede cambiar lo que nosotros no.

## El tener autoridad

Cuando esta emoción no ha sido validada y se sale de control trae:

**La debilidad:** podemos ser afligidas, indefensas, pesimistas, podemos tener raíces de tristeza, estar acongojadas, y comúnmente de todo nos desilusionamos.

**La inferioridad:** somos mandonas, enojonas, no escuchamos consejos, hacemos todo sin pedir opinión o esperar aprobación, somos impositivas y prepotentes.

**En el hombre:**

**La debilidad:** no pelea, evita la complejidad, impotente, subordinado, se siente vulnerable y es comúnmente temeroso.

**La inferioridad:** busca pleitos, es impaciente, obstinado, malhumorado, resentido, pesimista, antisocial, irreprensible, prepotente.

**Qué dice Dios:** como mensajero por la bondad de DIOS les advierto que no se consideren mejores de lo que son. Valórense según el grado de fe que el Señor les ha dado. *Rom 12:3*

La autoridad en el matrimonio: someteos unos a otros en el temor de Dios.

Las casadas estén sujetas a sus propios maridos como al Señor. Vosotros, maridos, igualmente, vivid con ellas sabiamente, dando honor a la mujer como a vaso más frágil, y como a coherederas de la gracia de la vida para que vuestras oraciones no tengan estorbo *Efesios 5:21,22* y *1 Pedro 3:7*

**La autoridad entre todos:** huye también de las pasiones juveniles y sigue la justicia, la fe, el amor y la paz con los que de corazón limpio invocan al Señor, pero desecha las cuestiones necias e insensatas, sabiendo que engendran contiendas. Porque el siervo del Señor no debe ser contencioso, sino amable para con todos, apto para enseñar, sufrido; que con mansedumbre corrija los que se oponen, por si quiso Dios les conceda que se arrepientan para conocer la verdad. *2 Timoteo 2:22 al 25*

Una persona con la emoción de la autoridad equilibrada pelea por lo justo, valora a quien está a su lado, es tierna, amorosa, sabe mandar con mansedumbre y una autoridad justa, ayuda a otros a crecer.

## Dar y recibir honra

Cuando no se ha tenido esta, adquirimos un falso yo que es muy peligroso, pues nos lleva a extremos en los que atentamos encontrar de nuestros mismos cuerpos y espíritus, ya que podemos caer en enfermedad o pecado sexual entre otros. Es ahora una de las armas del enemigo para destruir familias, sobre todo por el adulterio y los vicios o desequilibrios alimenticios, cayendo en enfermedades como la diabetes, entre otras.

**Cuando hay deshonra:**

**En la mujer:** adquirimos una sensualidad desbordada, vestimenta y conducta provocativa, anorexia, bulimia, cuidado excesivo de su persona exterior o consumo de sustancias.

Podemos ser despreocupadas, sentirnos feas, no tenemos aspiraciones, nos dejamos en todos los aspectos. A veces comemos de más o caemos en depresión, amargura o algunas llegan al suicidio.

**En los hombres:** conquistador, lascivo, insaciable, come sin moderación, a veces violento, adicto a la adrenalina o a las drogas, desalineado, dejado de sí, se vuelve dependiente a sustancias personas o laconismo, falto de sueños, inconstante, falto de fe, retraído, temeroso del porvenir, y tienden a ser infieles al recibir esa honra de la mujer extraña.

**Qué dice Dios**

Pues si vosotros siendo malos, sabemos dar buenas dadivas a nuestros hijos, ¿cuánto más nuestro padre que está en los cielos dará buenas cosas a las que le pidan? Así que, todas las cosas que queréis que los hombres hagan con vosotros, así también haced vosotros con ello, porque esto es la ley. Y los profetas, *Mt 7:12*

No mirando cada uno por lo suyo propio, sino cada cual también por lo de los otros, haced todo sin murmuraciones ni contiendas, para que seáis irreprensible, y sencillos hijos de Dios sin mancha en medio de una generación maligna y perversa, en medio de la cual resplandecéis como luminares en el mundo. *Filipenses 2:4 al 15*

Una persona que tiene conciencia de que la honra es dada por Dios (pues los demás seres humanos traen heridas y son imperfectos igual que nosotros) son personas capaces de comprender que debemos dar honra para recibirla. Tenemos belleza interior y esta se manifiesta en la exterior. Se es fiel a esposa y a su sueño, sabe amar, respetar y honrar, con el amor de DIOS en él y un corazón sano y libre.

Todas estas heridas, emociones desequilibradas, falsos yo, salidas fáciles, al no ser curadas, identificadas, entregadas al Señor, son acompañadas de temores escondidos que nos impiden avanzar, crecer, amar, vivir plenamente con la paz de Dios, y la esperanza y fe de que no es en nuestras fuerzas ni con nuestras armas sino con las de Dios y que solo Él tiene el poder de cambiarnos, a nuestros seres amados y las circunstancias, pues de Él es el mundo su plenitud y lo que en él hay él lo hizo con solo su palabra. Lee Salmos 50 y Génesis cap. 1

Aprovecha este tu proceso, nuevo comienzo, desierto o como lo llames para identificar tus emociones desequilibradas y dejar que Dios te sane y te quite ese velo de tus ojos que solo trae, culpa, rencor, amargura. Suéltalo, ora, ayuna, pásate un día con DIOS, tu mejor psicólogo, y deshazte de todo esto en el arma del perdón. Te doy una opción que a mí me ayudó para dejar todo esto en manos de Dios y me ayudó a perdonar, sanar, entender que la pelea no es con el ser que te ha lastimado, el cual también es una víctima, y no lo justifico, solo trato de ayudarte a soltar y vivir, para que dejes de sobrevivir.

Con el toque de Dios en tu vida así te sentirás como si salieras de algo que te mantenía atada.

Recuerda: Dios no quita, solo libera.

Ahora trato de ya no criticar a las mujeres sino de tratar de ayudar a ver por qué están en esa situación. Uno de mis sueños es que este manual sirva para ayudar a las mujeres que pasan la misma prueba que yo.

Dios ha puesto para ambos aspectos de cambio en mi vida y a las personas indicadas me ha costado sobre todo creer en mí.

Pero solo de pensar que DIOS puso su mirada y apostó por mí, eso me daba aliento y yo decía: «Si DIOS ha creído en mí, ¿quién soy yo para no creer?».

Aparte soñaba con volver a verme en el espejo y que tenga que decir: «Tú eres hermosa», y yo reflejar totalmente la luz, la paz y el amor de Dios en mí.

## Y tú, ¿qué reflejas a tus seres queridos?

Cada día es una oportunidad de ser mejor y aprender de ti y de lo que DIOS trae a tu vida.

Cuidarte y amarte es esencial, lo puedes hacer con lo que tienes en tu casa. Además, a veces gastamos más en el celular o en chucherías. Solo necesitas un poquito de fe amor y esperanza en Dios y en ti misma.

Para tu belleza es muy importante la limpieza de tu corazón. Para eso hay un gran limpiador que se hizo en la cruz. Yo le puse APA y sus ingredientes son arrepentimiento, perdón y amor, ya que la belleza comienza desde adentro.

Más adelante los veremos.

Tampoco quiere decir que tienes que ser 90 60 90, pero sí hacer lo necesario para sentirte bien, y no es por vanidad, es por salud y bienestar en tus postreros años. Las enfermedades del siglo usadas por el enemigo son

## el estrés y la depresión.

En la vida de los hijos de Dios no debería caber esto, pero el enemigo es astuto y sabe que en cualquier descuido usa a tus seres queridos para dañarte.

Pero Dios dice: «Yo abro el mar y caen tus enemigos, fenecen para no levantarse. Como pábilos quedan apagados». Is 43:17

Buscarás a los que tienen contienda contigo y no los hallarás, serán como nada, como cosa que no es aquellos te hacen la guerra. *Is 41:12*

> *No os acordéis de las cosas pasadas ni traigáis a memoria las cosas antiguas.*
>
> Is 43:18

He aquí que yo hago cosa nueva. Pronto saldrá a la luz, ¿no lo conocerás? Otra vez abriré camino en el desierto y ríos en la soledad. *Is 43:19*

Así dice Jehová, hacedor tuyo y el que te formó desde el vientre, el cual te ayudará:

## «No temas, siervo mío, *Is 44:1*

## prepárate para la conquista,

levántate y pasa este Jordán,
nadie te podrá hacer frente.

En todos los días de tu vida
esfuérzate y sé valiente, muy valiente.
Nunca se aparte de ti este libro de la ley.
De tu boca si no de día y de noche meditarás en él,
para que guardes y hagas conforme a todo lo que
en él está escrito, porque entonces harás prosperar
tu camino y todo te saldrá bien.
Mira que te mando que seas valiente
y que te esfuerces. No temas ni desmayes,
porque Jehová tu Dios estará contigo.

## Donde quiera que vayas

estas son palabras de Dios a tu vida.

## Nadie

Nadie se pierde en el camino cuando Dios ya lo ha trazado.

Nadie tira a quien Dios ha levantado.

Nadie derrota a quien Dios ya declaró vencedor.

Nadie humilla a quien Dios enaltece.

Nadie cierra las puertas que Dios te abrió.

Nadie quita de su propósito a quien Dios llamó.

Nadie ni nada te separará del amor de Dios.

Nadie te arrebatará de las preciosas manos de Dios.

Nadie puede quitarte los dones que Dios te dio.

Nadie tiene el poder de hacer más por ti que Dios.

## Esto lo pierdes cuando no sabes tu identidad como hija de Dios.

## ¿Cómo cambió esta palabra tu vista hacia ti?

Espero que Dios haya dado una palabra de ánimo y recuerda: puedes hacer tus apuntes o anotar tus promesas o logros para que mires cuanto hayas crecido.

Y recuerda: si Dios contigo quien contra ti,
no recibas la basura de nadie.

# Arma #3: el arrepentimiento

Para mí fue la primera luz en medio de todas las tinieblas, las cuales estaban llenas de preguntas sin respuesta.

¿cómo? ¿por qué? ¿qué?

¿por qué lo permitiste?

¿cuándo? no lo merezco

¿por qué no lo impediste?

¿dónde estabas? ¿por qué a mí?

¿qué va a pasar ahora conmigo?

no es justo

¿por qué no hiciste nada?

pero si yo di todo ¿cómo paso?

pero si yo era la mejor

no entiendo, todo era mío

¿qué hice para merecerlo?

Todas ellas eran para el que menos tenía culpa, ni siquiera una, pero el enemigo llena de mentiras tus oídos, es experto en esto.

Cuando tu corazón está lleno de dolor, abres la puerta a las mentiras del diablo.

El dolor te ciega, te confunde, te endurece, y donde quiera buscas culpables menos donde y quien es el verdadero culpable.

La pelea no es con carne y sangre, sino con el mundo de las tinieblas. *Ef. 6:12*

Entonces, por ignorancia, comienzas a juzgar, a agredir, a golpear, a despreciar, a insultar a quien solo fue un instrumento de satanás para destruirte y después destruirlo a él.

Pero, en medio de toda esta obscuridad, se abrió una puerta, la cual es el camino la verdad y la vida.

## Jesucristo

DIOS tuvo misericordia de mí. Comenzó a darme luz usando a personas de DIOS, las cuales me dieron palabras de aliento, promesas de parte de Dios. Es increíble lo que DIOS puede hacer o usar para levantarte. Lo que era mi afán Dios lo usó para el comienzo de su propósito. En mi vida, ese afán el trabajo.

Después de la traición, solo una semana me dejó Dios llorar hasta cansarme. No comía, no dormía. Si cerraba los ojos me dolían; si los abría miraba imágenes de mi esposo con aquella mujer, como si los tuviera enfrente de mí. No podía resistir el solo pensar que pudo haber tocado a esa mujer como a mí. Sentía que la mitad de mí estaba muerta y no veía más que dolor y más dolor. De hecho el primer día tuve que tomar una botella completa de tequila, lo que nunca en mi vida había hecho, y la verdad, no es cierto eso de que calma el dolor, el mismo dolor es quien te anestesia. Tomar solo me dejó un dolor de cabeza horrible y más dolor, pero bueno, ya Dios me perdonó.

Al siguiente viernes DIOS me levantó insistentemente porque ahí en un simple sobre ruedas, Dios había dispuesto a una mujer y a un hombre de Dios, los cuales fueron claves para el comienzo de mi ministerio.

Una de esas personas era un pastor, el cual me invitó a su iglesia el siguiente domingo. Era ahí donde conocería algunas de las promesas, mis hermosas de mi vida, pero a la vez una de ellas fue mi piedra de tropiezo que el enemigo usó para confundirme y afanarme cayendo nuevamente en la idolatría, y también ahí fue el descubrimiento de mi ministerio y el evento que comenzó esta arma el arrepentimiento.

En un día de Pascua se trasmitió la película *La pasión de Cristo*, la cual nunca olvidaré, ni ese día, porque me senté enfrente para que nadie me viera que cerraría los ojos para no ver cuando golpearan a Jesucristo.

Pero en Dios nada es casualidad, Él todo lo tiene planeado. Si ese lugar era para que no tuviera a donde me moviera en cuanto comenzaron los latigazos cerré los ojos.

Y no lo hubiera hecho pues, en cuanto lo hice, comenzó a pasar una película en la que yo era quien golpeaba a Jesús. Cada latigazo que yo escuchaba Dios me mostraba los golpes que un día mis hijos otro y otro pasaba en mi mente. Cada vez que desobedecí a mis padres o me porté mal con ellos, menosprecié a mi esposo y le falté al respeto, y así sucesivamente todo lo que había hecho mal, y aunque quería abrirlos no podía, hasta que Dios terminó de contestarme todas y cada una de las preguntas que antes le había hecho. Cada una me fue contestada y, créeme, mejor no lo hubiera hecho.

Entonces conocí el dolor que había causado sin darme cuenta y vino a mí el verdadero arrepentimiento.

Solo podía llorar y llorar, más porque me di cuenta de que cuando Jesús decidió ir a la cruz Él sabía todo lo que yo y tu íbamos a pecar, y sabía que los golpes serían demasiado llenos de furia, de venganza, de todo sentimiento de maldad. Pero Él aun así lo aceptó por amor a nosotros y a hacernos libres, para conocer la verdadera vida y vida en abundancia. Con ese quebrantamiento vino el reconocer y pedir perdón a DIOS por todos esos pecados. Lo que más cuesta es reconocer que no eras lo que pensaste.

El orgullo es una de las principales ataduras que el enemigo pone en ti para impedir tu victoria. La primera parte del nuevo inicio en una princesa guerrera es limpiarnos como al oro. Somos pasadas por el fuego de Dios, el cual comenzará a sacar el brillo que necesitamos. Así descubrí lo equivocada que estuve y no era culpable Dios, sino yo, por mis malas acciones y decisiones, así como por la falta de conocimiento, de cómo decía Dios que yo debía ser como esposa, madre, hija o amistad.

# Oración para un verdadero arrepentimiento

¡Oh, Jehová, padre nuestro que gobiernas desde el cielo y habitas en la eternidad, ten piedad de mí, oh, Dios, conforme a todas tus piedades!
Borra todas mis rebeliones, lávame más y más de mi maldad.
Conforme ata misericordia y límpiame de mi maldad escucha.
Oye, Jehová, mis palabras y considera mi gemir, DIOS mío, por qué ata oraré eres Dios justo tu pruebas la mente y el corazón dame el discernimiento para entenderlo.
Dame el entendimiento para no cometer más los mismos errores del pasado.
Dame sabiduría para aprender tus estatutos y saber cómo ayudar a los míos y a todo aquel que lo necesite.
No me echo de delante de ti y no quites de mí tu santo espíritu.
Vuélveme al gozo de tu salvación, espíritu noble me sustente, y que tenga yo un corazón contracto y humillado para ir delante de ti. No me rechaces, porque tú no eres Dios que se complace en la maldad.
Mas yo por la abundancia de tu misericordia entraré en tu casa, adoraré hacia tu santo templo en tu temor.
Oh, Dios, ayúdame, porque tu palabra dice:
Dios es juez justo y Dios está airado contra el impío.
Todos los días si no se arrepiente Él afilará su espada.
Dame el don del verdadero arrepentimiento.
Alabaré a Jehová conforme a su justicia y cantaré
al nombre de Jehová, en el nombre de Jesucristo te lo pido. *Salmo 51*

# El arrepentimiento

El que siente remordimiento solo quiere el cambio rápido.
El arrepentimiento sufre el agravio cometido y pide perdón.

El que solo siente remordimiento se disculpa a sí mismo.
El arrepentimiento busca resarcir el daño.

El que solo siente remordimiento se da la vuelta y continúa.
El arrepentido crece con el sufrimiento y aprende de él.

El que solo siente remordimiento volverá a causar dolor.
El arrepentido confiará sus actos y emociones a DIOS para no dañar más.

El que solo siente remordimiento no conoce a DIOS ni su misericordia.
El arrepentido vivirá agradeciendo a Dios la confrontación y la prueba, porque de ahí vendrá la victoria.

¿Y tú qué, sientes remordimiento o arrepentimiento?

Soy una guerrera de Dios

No soy fiel a él, pero él sí es fiel

## El Señor mandará a sus ángeles a ti para que te cuiden en todos los caminos

## Jesús es mi pastor y nada me faltará

## ¿Hay acaso algo imposible para Dios?

Desde el principio de mi proceso DIOS hizo cosas maravillosas en mi vida que yo nunca hubiera imaginado y la verdad me costó mucho creer que me estaba llamando para ser una mujer, que sería un instrumento para ayudar y aconsejar a otras mujeres que, como yo en un momento de su vida, esta cambió y dio un gran giro trayendo gran dolor y aflicción.

Lo que ellas y yo no sabíamos es que esta leve tribulación traería a nuestras vidas un enorme peso de gloria, junto con una nueva vida y vida en abundancia.

Realmente DIOS tenía cosas maravillosas para demostrarme su amor y el deseo de traer mi mirada hacia Él, pero la incredulidad ponía un velo en mis ojos.

Solo quería no saber nada, no mirar a nadie, no hacer nada para mí. El mundo se derrumbaba como si fuera un polvorón.

Entonces escuchaba muy dentro de mí y muy a lo lejos una voz que me decía: «Levántate y ve a trabajar», y yo decía: «No, no lo haré». Y otra vez decía: «Levántate y sal de esa cama». No sé cómo me levanté, fue una fuerza mayor que me impulsó. Me levanté y salí, me fui a mi trabajo, el cual era ese mercado sobre ruedas.

La otra persona fue una gran mujer llamada Cris, quien Dios usó para enseñarme a que yo podía levantarme, y volver a vivir, que había armas poderosas las cuales estaban ahí para yo usarlas, y también me llevó a un gran lugar a un encuentro de liberación donde DIOS tocó mi vida y mi corazón trayendo a mi vida el perdón.

El pastor que también conocí ese día daba consejería matrimonial y eso fue como luz en medio de las tinieblas que yo vivía.

Él me invitó a su iglesia el siguiente domingo. Era viernes al día siguiente. El sábado fue un gran debate en mí misma, pues no quería saber nada de Dios, pero mi espíritu tenía una gran sed de una esperanza, de un bálsamo.

Pues finalmente acudí y ese lugar era donde comenzaría Dios a tratar y cambiar mi vida y donde comencé a conocer más a DIOS y sus promesas. La primera semana llegó un pastor de visita, el cual en su predicación se dirigió a mí diciendo: «Dios dice que restaura matrimonios en este lugar». Yo no lo tomé en cuenta, aunque el pastor voltió, tomó mi mano y me dijo: «Hermana, esa palabra es para usted».

Yo no lo creí en ese momento, lo que menos quería era la restauración de mi matrimonio. Tenía mucho coraje, pero al mismo tiempo esa promesa la tomé como una esperanza y al principio solo por eso me acerqué a DIOS. El orgullo lastimado me hizo sin darme cuenta afanarme y nuevamente poner a mi esposo en primer lugar, pues todo lo que hacía lo hacía por él o para él, para que él me viera. De hecho ni siquiera me tomé tiempo para sanar mi corazón, solo me dediqué a tratar de quitar la paja de su ojo, tratando de hacerla ver que estaba mal, que estaba encantado por la mujer, y yo no miraba la viga en el mío. El enemigo es astuto y nos engaña sutilmente. El uso esa palabra para desenfocarme de lo que Dios quería hacer en mi vida, y para pues cada vez que yo recibía el rechazo y humillación de mi esposo el enemigo me apagaba y todo se desvanecía, y me detenía, y entonces esa desobediencia y afán me hacían más largo y doloroso el desierto, y solo lograba que mi esposo se alejara más de mí y se acercara más a ella, pues yo le repetía muchas veces que DIOS iba a restaurar nuestro matrimonio, sin darme cuenta quería ayudarle a DIOS.

Después al finalizar el culto ese día, una sierva de DIOS que acompañó a ese pastor me saludó y al tomar su mano yo sentí una gran necesidad de abrazarla. Ella también lo sintió y me abrazó en ese momento diciendo hermosas palabras en mi oído. Aquellas eran tan dulces, tan tiernas, tan llenas de un amor que me quebrantó y estremecía todo mi ser deseando que no se acabaran. Ese día experimenté una gran sensación que dio a mi vida un toque del amor verdadero, pues todas ellas, aunque salían de la boca de aquella mujer tan dulce, provenían de mi padre, del maravilloso ser que me ama y que te ama, con un gran amor entrañable, nunca las olvidaré.

Eres la niña de mis ojos.

No temas, yo he estado siempre contigo.

Eres especial para mí. Te amo. A donde vayas iré.

Eres fuerte, amada, mi hija.

A la siguiente semana ella me habló y me invitó a comer. Dijo: «Dios me dio palabra para ti. Tu ministerio son las mujeres. Dios te usará para ayudar a aquellas que pasan por situaciones difíciles como tú. DIOS te llevara a las naciones y serás de bendición a muchas». Yo solo la miré y le dije: «No sé de qué se trata todo esto, pero no lo haré. No sé qué haré con mi vida, menos con la de otras». Ella me miró y dijo: «Pues yo te ayudaré, te enseñaré». «Todo esto para mí es demasiado», le dije.

Yo no creía nada ni a nadie, solo quería estar tranquila y llorar y no hacer nada. Pensaba que todos se habían puesto de acuerdo para distraerme o algo así.

Mi mente no entendía cómo era que Dios le hablaría a alguien para que me dijeran tanto y lo mismo todos, pero después de pensarlo mucho y meditar sobre todo lo pasado, pues realmente ya no tenía en qué ocupar mi vida y nada que perder, así comencé la siguiente semana, el primer cafecito para mujeres en esa iglesia y era sin saber la mejor decisión de mi vida, pues se convertiría en mi pasión y mi nuevo motivo para luchar después de ver todo perdido.

Esa fue la primera de muchas grandes y maravillosas experiencias con Dios. El pararme en aquel pulpito frente a tantas mujeres me hacía sentir tan comprometida, pero a la vez me daba temor, pues mi corazón estaba destruido. ¿Cómo daría algo que yo no tenía? Solo comencé a hablar y sin darme cuenta me desenvolvía como si fuera algo que toda la vida había hecho.

De repente podía escuchar lo que hablaba como si fuera otra persona dentro de mí y todas comenzaban a llorar y no entendía, pero tampoco podía dejar de hablar y decía cosas que la verdad no sabía de dónde sacaba.

Entonces comprendí que no era yo, que era Dios a través de su espíritu hablando y eso me lleno de temor. Para mí todo era tan nuevo, tan increíble...

Pero quien te hizo saber para qué te diseño y lo que puedes hacer lo sorprendente era que al dar esas palabras también me ministraban a mí y eran parte de mi restauración, y era DIOS mismo comenzando a prepararme, a sanarme, y así comenzaba mi ministerio y una nueva historia en mi vida, cumpliendo DIOS uno de mis sueños de la infancia, que era tener una profesión y esta es la mejor. La verdad, DIOS m cambió en todos los aspectos y me colocó en posiciones que nunca me imaginé, como ser la asistente del pastor o la directora del cafecito de mujeres. ¡Guau! Solo DIOS puede, pues dice la palabra de Dios que Él usará alo más vil y menospreciado del mundo, y lo que no es, para deshacer lo que es. 1 Cort 1:27y28

Desde el principio de los tiempos nuestro padre con personas temerosas tartamudos, etc., como Moisés, Abraham, Josué, Gedeón, David, Jonás y muchos más que al igual que yo y tal vez que tú no querían ir, pero DIOS los usó grandemente.

Así que no dudes, que también tú tienes un gran ministerio que Dios ha puesto en ti para ser luz a otros. Y si para eso DIOS tiene que quitar cosas o personas de tu vida, pues, lo hará como decía Job: «Dios dio, Dios quitó».

¿Qué es? Eso te toca descubrirlo a ti.

Solo date cuenta de qué es lo que haces bien y te llena de satisfacción de gozo, te sale naturalmente, tal vez predicar, evangelizar, enseñar, orar, interceder, y muchas cosas, y si apenas comienzas, pide a Dios que te revele.

La primera revelación de lo que era mi don fue en un cafecito de mujeres, ahí mirando la predicación. Algo de mí se salió y solo sentí cómo ese algo caminaba hacia enfrente tomaba el micrófono.

Entonces comenzaba a hablar. Luego regreso a mí y reaccioné. Todo era normal. Se lo conté a la persona que me invitó y ella oró y dijo Dios: «Te mostró que eso harás tú: "Predicarás la palabra así como esa mujer"».

La verdad, no lo creí, era demasiado incrédula. A pesar de todo lo que vivía y veía, tenía un velo en los ojos que me impedía darme cuenta de las maravillas de Dios y todo lo que él estaba haciendo por mí, para levantarme y darme una nueva vida y vida en abundancia.

Durante los siguientes meses todo comenzaba a verse bien, había una esperanza aún en mi matrimonio. Comenzamos a tomar consejería y yo ya predicaba. Tomé un poco de estudio sobre cómo llevar una mejor relación, todo se veía muy fácil, pero no es así, de parte de él no había mucha disposición y seguía con esa persona. Yo aún no lo superaba y ni lo había perdonado verdaderamente, pues era algo tan doloroso que solo quien lo vive lo comprende.

Y entonces llegó el gran día.

Aquel horrible y doloroso día en que el enemigo juró que me destruiría, pues el dolor de descubrir la traición no se compararía a lo que estaba a punto de conocer.

Él seguía con la mujer y ella hacía todo por enamorarlo. Usó todas las armas que el enemigo le dio para destruir el amor que él me tenía y desgraciadamente yo usé otras tantas. Yo misma acabé de alejarlo de mí pues me volví celosa y lo confrontaba a cada rato, me convertía en una mujer aún más contenciosa y mi frustración por querer retenerlo solo me hacía ser más insoportable para él. Ese día mis fantasmas tuvieron nombre y cara y la incertidumbre de si la había dejado se terminó. Ella misma me hizo enterarme de que vendría a vivir con él.

Aquel día del mayor dolor conocí a un hombre muy diferente. Era cruel, me lastimó con las palabras más despreciables, porque ella lo dejó plantado y ella mintió que yo la amenacé para no venir. Él lo creyó. Ese hombre no era el que yo conocí durante 22 años de mi vida. La decepción y el dolor fueron tan grandes al escucharlo que mi corazón se hacía polvo cada vez más con cada palabra de desprecio y de humillación hacia mí y cada una de amor y admiración a ella.

Pero ahora sé que en parte no era él, era el enemigo que me odia y quería gritarme cuánto. Y lo usó lo que según yo más quería, yo no entendía cómo paso, dice la palabra de Dios, en *Prov 5:3* porque los labios de la mujer extraña destilan miel, y su paladar es más blando que el aceite *4:* más su fin es amargo como el ajenjo, agudo como

espada de dos filos, sus pies descienden a la muerte y sus pasos al suelo.
*Prov 6 23:* porque el mandamiento es lámpara, y la enseñanza es luz y camino de vida las reprensiones que te instruyen
*24:* para que te guarden de la mala mujer, de la blandura de la mujer extraña
*25:* no codicies su hermosura en tu corazón, ni ella te prenda con sus ojos
*26:* porque a causa de la mujer ramera el hombre es reducido a un bocado de pan y la mujer caza la preciosa alma del varón
*Prov 7 21:* lo rindió con la suavidad de sus muchas palabras, le obligó con la zalamería de sus labios
*22:* al punto se marchó tras ella, como va el buey al degolladero, y como el necio a las prisiones para ser castigado;
*23:* como el ave que se apresura a la red y no sabe que es contra su vida hasta que la saeta traspasa su corazón

Todo esto es lo que el enemigo tiene preparado para todo aquel que decide abrir la puerta al adulterio y nos da un poco de entendimiento de lo que pasan ellos en este proceso o mala decisión. Ellos tienen un libre albedrío y eso los hace también culpables, y es donde nosotras debemos poner primero a Dios y consultar qué debemos hacer, a dónde ir. Yo no lo consulté y seguía, poniéndolo a él primero y poniéndome de alfombra para que él estuviera bien y me mirara. Se convirtió en un afán, el que Dios restaurara mi matrimonio.

Yo no sabía ni entendía todo esto, solo sabía que mi corazón se rompía en un millón de partículas que parecían imposibles de volver a unirse. Caminaba ese día por las calles, las cruzaba y no me daba cuenta, solo quería morir y no saber nada, y poder despertar y decir solo fue un sueño, pero era mi más dura realidad.

Él volvió a llamar y me decía: «¿Cómo estás? Quiero que estés bien». Qué ironía: me acababa de destrozar, pero quería que estuviera bien.

Solo quien ha vivido todo esto lo puede entender y el más indicado se llama Jesucristo, mi amigo, tu amigo, quien nos dejó al espíritu consolador para traer a nosotros ese consuelo y paz en estos momentos de tribulación. Lo difícil era ahora yo, hacer lo mismo que Él cuándo fue traicionado humillado y destruido su cuerpo y su corazón.

Y eso era PERDONAR.

Pero todo esto era parte del maravilloso propósito de Dios para mi trasformación, pues era donde Dios demostraría que el amor lo puede todo, su amor; que del dolor, odio, traición, tristeza y decepción puede sacar a un ser tierno, compasivo, amoroso, sensible, pues Él nos hizo a su semejanza, ese ser permanece dentro de nosotros en la parte de la divinidad que Dios puso en nosotros y otra arma que DIOS me dio y la cual es sumamente importante como arma contra el enemigo y como un bálsamo de sanación a tu vida y corazón. Esta gran arma se llama

## EL PERDÓN

Hay dos clases de perdón. El primero como el arrepentimiento se puede confundir con el remordimiento, el cual nos puede confundir por la emoción del momento.

Y nos confundimos y a nuestro corazón también guardando un resentimiento en el fondo del corazón, el cual se convierte en una raíz de amargura o en una herida muy profunda, la cual impide que podamos tener un crecimiento espiritual.

Y a la vez esto es usado por el enemigo para quitar las bendiciones que nos corresponden y para tener derechos de legalidad, en contra de nosotros, y después usarlos contra los que amamos al revivir alguna situación parecida, por ejemplo el rechazo.

El segundo es el más sincero, pero el menos usado por el ser humano este es el verdadero perdón, el cual proviene del amor de Dios. Este viene acompañado de un amor incondicional y es libertador de aquellos a quien tenemos cautivos en las cárceles del rechazo, menosprecio, desilusión.

Tal vez lo tuyo no es infidelidad de tu pareja, sino traición de un amigo, familiar, o empleado, pero igual es traición y causa DOLOR Y DESILUSIÓN.

# El perdón

¡Qué palabra tan pequeña! Pero tiene un enorme peso y da una enorme libertad y algo que todo mundo busca que es.

La paz que sobrepasa todo entendimiento.

*Bienaventurados los limpios de corazón porque ellos verán a DIOS*

Mt 5:8

*Perdonar es renunciar al derecho de venganza*

Rom 12:18 y 19

«¿Cuántas veces tengo que perdonar a mi hermano que peque contra mí? ¿Hasta siete?», preguntó Pedro a Jesús.

*Jesús dijo: «No te digo 7, sino hasta 70 veces 7».*

Mateo 18:21

*Y perdona nuestros pecados porque también nosotros perdonamos a todos los que nos deben.*

Lucas 11:4

# Perdonar

Se dice fácil, pero créeme, el verdadero perdón es una gran decisión seguida de un gran esfuerzo y valentía.

Para revelarte a los deseos de la carne y sobre todo a renunciar a una vida de amargura y dureza en nosotros.

El perdonar nos lleva a tener una mejor relación con Dios, con nosotros mismos y con los que nos rodean.

Cuando hay verdadero perdón te das cuenta de que aquel recuerdo, persona o suceso que te causaba dolor ya no lo hace más.

Y de que de esa experiencia quedó una enseñanza que edificará tu vida y será un fruto que enredes a alguien.

El perdón y el arrepentimiento son prácticamente hermanos, pues se necesita uno para tener el otro.

> *Y volverá a tener misericordia de nosotros, y sepultará nuestras iniquidades, y echará en lo profundo del mar todos nuestros pecados.*
>
> Miqueas 7:19

Sí, esta es la manera en que Dios nos perdona y en la que debemos perdonar.

Bueno, ese es el deseo y la voluntad de Dios, y qué mejor que lo hagamos por agradar a Dios y de todo corazón, y poder decir:

## Ya no soy esclavo del mundo y sus venenos envueltos en chocolate.

En cada paso de tu proceso que tú digas ya lo he conquistado.

Ten presente que vendrá una prueba para ver si realmente has avanzado al siguiente nivel.

Yo aprendí que el perdón hace más bien al que lo da que al que lo recibe, pues da un gran reposo a tu alma y es parte del bálsamo para curar las heridas del alma y el corazón.

El dolor de aquel día en que mi esposo me hirió nuevamente me llevó a un estado de mucho dolor, decepción. Era como si tuviera una herida a punto de sanar y de pronto alguien la abriera con un cuchillo sin filo, aun conociendo un poco más de DIOS. El dolor me superó y la decepción de que veía imposible la restauración de mi matrimonio me llevó a una agonía en la cual menos quería saber de nadie ni de nada, solo quería cerrar los ojos y no despertar. Me enojé demasiado con Dios, le reclamé, le pedí que me dejara, que no quería saber nada de Él, y de la iglesia, que solo quería mi vida de vuelta y dejé de predicar, deje la iglesia. El dolor me había segado y no podía ver claramente. Créeme que con esto también aprendí cuan grande es el amor y perdón de Dios, pues con todo lo que le dije me merecía algo muy malo y sin embargo Él entendió mi dolor y me perdonó.

DIOS usó nuevamente a aquella mujer mi amiga y después mi pastora blanquita, ella estuvo ahí y me daba palabra y consuelo.

La palabra de Dios dice que nuestra pelea no es contra sangre y carne, pero este es un gran misterio, porque se nos tiene que revelar, no basta con leerla, y memorizarla. Lo importante es que te sea revelada, y esto solo será conforme tengas madurez espiritual. Efesios 6:12

Para que pasemos más rápido este desierto, si no seguirás peleando equivocadamente y estarás destruyendo aún más tu relación con Dios, contigo y con los demás, poner límites para no permitir que te lastimen es algo que te dará paz y sanidad, pues no podrás cambiar a nadie, eso solo lo puede hacer Jesucristo.

El perdón es una de las armas más poderosas para pelear certeramente. Como te dije todas tus palabras son probadas. Después de un tiempo en el que ya mi corazón estaba mejor dije que ya había perdonado.

Pues gracias a una amiga que sembró en mí y me regalo un paseo a un encuentro de liberación encontré en mi corazón un perdón que venía del corazón de Dios y que me dio un poco de paz en todo mi calvario. Lo que Dios hizo conmigo en ese lugar realmente comenzó a cambiar mi vida, pero después vendrían las pruebas de que sí en verdad aprendí a perdonar.

Tuve muchas, en algunas no me daba cuenta y las reprobaba, como te dije era una mujer muy incrédula.

## Dios me pide perdonar a la otra mujer, y no solo eso también, orar por ella.

Un día ella me habló, me pidió que olvidara quién era ella y que le hablara de ese Dios que yo predicaba, pue, ella también había sido engañada y quería escuchar algo que le diera paz, pues mi esposo le platicaba de mí. A veces soy muy ingenua y creí en ella, hice mi dolor a un lado para darle una palabra de Dios. Toda la madrugada le daba ánimo y contestaba a sus preguntas y en verdad Dios sabe que de todo mi corazón le hablé la palabra.

Solo se burló de mí y ya lo había hecho antes al pedirme dinero. Dijo que para irse lejos y darle de comer a sus hijas y sí, me mintió, ella me conocía así que sabía perfectamente que éramos personas nobles y fácil de estafar y engañar, ya tenía tiempo haciéndolo con él.

Tiempo después Dios me pidió que orara por ella y pues yo decía: «Ok, Señor», y pedía a Dios por ella decía: «Señor, te pido por ella que se aleje de mi esposo».

Y Dios me decía: «Así no, clama como si fuera tu hermana, que está en peligro de perder su alma, con amor». Esto me costó mucho tiempo y decisión, llegar a ese momento de veras, pedir por ella con amor. Fue algo donde tuve que doblegar mi orgullo y pedirle a Dios que su espíritu me ayudara, pero en ese momento lo hacía por agradar a Dios, y era parte de mi preparación como hija de Dios.

Recuerden que los pensamientos de Dios son más altos que nuestros pensamientos. Ahí entendí eso de vencer el mal con el bien. *Rm 12:21*

Otra prueba fue darle algo que era decisivo para su vida futura. Bueno, era dárselo indirectamente: si yo me divorciaba él ya no podría tenerlo y yo sabía que también al no tener, eso sería más fácil que la mujer lo dejara cuando él ya no tuviera dinero. Muchas veces pasó por mi mente pedirle a Dios que se quedara sin trabajo, que se enfermara o algo así, era mucha mi desesperación, pero Dios tiene todo bajo control. Él toco mi corazón, me pidió que no me divorciara y yo le dije: «Padre, ya lo perdoné, pero no quiero ayudarlo». Entonces dije: «Tal vez no es Dios y solo soy yo», así que decidí ayunar porque, cuando algo no nos gusta, queremos tener la seguridad. Dos días ayune y ahí dos personas abogaron a mi corazón por él y me hicieron comprender que solo Dios debe hacer justicia no nosotros y Dios me dijo: «Perdonar es hacer bien a quien te hizo mal». También toco Dios el corazón de mi hijo, quien tampoco quería ayudar a su papá, y juntos decidimos obedecer a Dios y ayudarlo. Gracias a Dios que en ese momento evitó que tomáramos una mala decisión, pues después ese hecho fue de bendición para mí y mis hijos y para el también.

*Pues conocimos al que dijo: «Mía es la venganza». «Yo daré el pago», dice el señor y juzgará a su pueblo.*

Heb 10:30

*Horrenda cosa es caer en manos de un Dios vivo.*

Heb 10:31

*Porque si perdonamos a los hombres vuestras ofensas también nuestro padre perdonara vuestras ofensas.*

Mt 6:15

*Y cualquiera que te obligue a llevar carga por una milla ve con él dos.*

Mt 5:41

*Tengan cuidado de que no brote ninguna raíz venenosa de amargura, la cual nos trastornará a ustedes y envanecerá a muchos.*

Heb 12:14 y 15

*Perdónense unos a otros como Dios también os perdonó a vosotros en Cristo.*

Ef 4:32

*Por lo cual levantad las manos caídas y las rodillas paralizadas.*

Heb 12:12 y 13

*Y haced sendas derechas para vuestros pies para que lo cojo no se salga del camino sino que sea sanado.*

*Pero yo os digo que cualquiera que se enoje con su hermano será culpable de juicio; y cualquiera que diga necio a su hermano será culpable ante el concilio; y cualquiera que le diga fatuo quedara expuesto al infierno de fuego.*

Mt 5:22

*Pero yo os digo: amad a vuestros enemigos, bendecid a los que os maldicen; haced bien a los que os aborrecen y orad por los que nos ultrajan y os persiguen.*

Mt 5:44

El perdón es algo mucho más profundo de lo que creemos o entendemos.

El perdón es un proceso que debe repetirse todos los días si es necesario, algo así como diario, darnos un baño para quitar la suciedad de nosotros, y claro que no por decir «lo perdono» ya se irá de ti el coraje o la frustración. Es ahí donde entra eso que dijo Jesús de perdonar 70 veces 7 si es necesario, pues como sabes perdonar es una decisión de sanación, así que hay que decirlo las veces necesarias hasta lograr soltar esa atadura o persona con un perdón genuino.

El odio, el rencor, la falta de perdón, la tristeza, la amargura, el afán, la frustración... son la mugre cuando ya han echado raíz, son cochambre escondido dentro en lo más profundo lo cual no es muy fácil de limpia. Por eso, a pesar del baño diario, no logramos quitar esa carga tan pesada.

Pero ahí entra el poderoso de Israel, el rey de reyes, el Dios fuerte, el amigo el redentor, el salvador, el que es el camino la verdad y la vida, el principio y el fin, el admirable, el que es y no hay más poder en otro nombre sobre la tierra que el del Jesucristo y su sacrificio en la cruz por todos nosotros con su inmenso amor entrañable.

EL PERDÓN es el jabón espiritual para presentar un corazón limpio a Dios cada día.

amor paz

corazón limpio gozo

agrado favor de

alabanza a Dios

ofrenda peticiones

agradecimiento

*bienaventurados los limpios de corazón porque ellos verán a Dios*

Mt 5:8

El perdón es una de las armas más poderosa, pera quitar derechos de legalidad al diablo sobre nuestras vidas y bendiciones, y también para ser liberados de pesadas cargas que nos hacen estar cansados y desanimados, y para quitar obstáculos que detienen las respuestas a nuestras oraciones. *Mar 11:25*

*No seamos vencidos de lo malo sino vencer con el bien el mal.*

Rm 12:21

¿SABÍAS que la mayoría de los cánceres y muchas enfermedades son causa del odio, el rencor y los traumas de la niñez que no fueron perdonados y sanados?

¿SABÍAS que las personas que perdonan viven más con más salud, olvidan fácil las ofensas y no las reciben más, ni pueden caer en ellos maldiciones pues, ya Jesucristo vive en ellos y aumentan sus defensas?

Los traumas no son más que puertas abiertas al pecado que ni siquiera era de nosotros, pero trae consecuencias a nuestra vida.

Muchos de estos traumas son consecuencia de los malos tratos o abusos mayormente de los que se supone que nos tendrían que proteger.

En la intimidad con Dios el ayuno y la oración tenemos que pedirle que nos revele por medio del Espíritu Santo todos aquellos traumas sucesos aun los que ya no recordamos que dañaron de alguna manera nuestra vida.

| | |
|---|---|
| traumas | abuso < sexual verbal físico |
| heridas emocionales | burlas < vergüenza pública |
| causadas por otros | traición < infidelidad ABS de conf. |
| | divorcio < rechazo, tristeza, dolor |
| | susto < miedo, temor |
| | abandono < baja autoestima y odio |

Si no se identifican, sanan y perdonan estos y otros traumas, abren puertas al pecado y a los malos hábitos y espíritus que después se convierten en pecados, que dañan ahora a los que nosotros amamos, convirtiéndonos en causantes de traumas. Inconscientemente es importante que antes de juzgar o recibir actos de otras personas tengamos si se puede un conocimiento de qué heridas emocionales traen detrás de ellos para poder comprender dicha actitud o palabras.

Dice la palabra.

> *No os acordéis de las cosas pasadas, ni traigas a memoria las cosas antiguas. He aquí que yo hago cosa nueva. Pronto saldrán a la luz, ¿no la conoceréis? Otra vez abriré camino en el desierto y ríos en la soledad.*
>
> Isaías 43:18 y 19

> *Nunca se aparte de tu boca este libro de la ley, si no de día y de noche meditarás en él, para que guardes y hagas conforme a todo lo que en él está*

*escrito; porque entonces harás prosperar tu camino y todo te saldrá bien.*

Josué 1:8

*Mira que te mando que te esfuerces y seas valiente; no temas ni desmayes, porque Jehová tu DIOS estará contigo donde quiera que vayas.*

Josué 1:9

*Sobre toda cosa guardada, guarda tu corazón, porque de él emana la vida. Aparta de ti la perversidad de la boca y aleja de ti la iniquidad de los labios.*

Prov. 4:23 y 24

Comúnmente nos preguntamos por qué las personas sufren y hay tanta maldad,

y es porque hemos volteado nuestro rostro de Dios y tomamos decisiones sin consultar a Dios. Si muchas personas buenas también tomamos malas decisiones, como no escoger un hombre de acuerdo con el pensamiento de Dios, o lo hacemos por necesidad por una emoción o sentimiento que nos causa ceguera y no podemos ver la realidad.

Como ves tenemos mucho trabajo con nuestro corazón. La limpieza es un acto de amor, a DIOS, a ti y a los que te rodean.

Tu decisión es ser o no libre de toda carga pesada que te cansa y debilita. Tu espíritu aparte de que sin darte cuenta se convierte en una pared de dureza frente a Dios pues comúnmente a él le echamos la culpa de todo.

Y muy rara vez lo exaltamos, agradecemos o pedimos consejo.

*Venid a mi todos los que estáis trabajados y cansados y yo los haré descansar.*

Mt 11:25 a 30

Hay algo muy importante para la limpieza de nuestro corazón, esto es solamente entregar a Dios todo aquello que está dañado en tu corazón y sin que tú lo sepas está poniendo techos sobre ti que están evitando que mires a Dios y te lleguen todas aquellas bendiciones que Dios tiene para ti.

Tú decides: mira si ya has obtenido este manual y no es casualidad. Sigue adelante, te aseguro que cada paso que des será de bendición, restauración, sanación y crecimiento espiritual. Es tu mejor decisión. Además no tienes nada que perder y sí mucho que ganar, como la paz y el gozo de Dios.

No podemos llenar algo que ya está lleno, así que tenemos que limpiar y vaciar nuestro corazón de todo lo malo para llenarlo de todo lo bueno.

Tu trabajo es vaciar, el de Dios será llenar cada vez que dispongas tu corazón en oración y lectura de la palabra.

Comencemos:

Primero tenemos que ir a la cruz. Dirás: «¿Cómo es esto?». Es leer comprender y creer que Jesucristo murió por ti y por mí, para perdón de nuestros pecados y salvación de nuestra alma, así como para conocer el verdadero amor y que somos redimidos limpiados liberados por la sangre de Jesús.

Sanados pues Él llevo nuestras enfermedades en sus llagas. *Isaías 53*

**Paso 1:** ayunar disponiendo nuestro corazón y tiempo a Dios.

**Paso 2:** orar y pedir a Dios quite todo impedimento para esta limpieza.

**Paso 3:** ya sea ver en la película *La pasión de Cristo* las escenas de la crucifixión o leer *Lucas 20:24.*

**Paso 4:** tomar la determinación de dejar que Dios nos limpie y entender que no merecemos el perdón de Dios y que no somos quiénes para no perdonar, esto es solo por gracia.

**Paso 5:** en tu cuarto a solas buscar la presencia de Dios, en cada paso y pedir a Dios que nos recuerde a quién debemos perdonar y pedir perdón.

**Paso 6:** tener un cuaderno para hacer este ejercicio, que es escribir que perdonas. «Hoy perdono a (su nombre) y porque (motivo de dolor). Ejemplo: «Yo (tu nombre) perdono a mi papá (su nombre) porque un día en mi niñez me lastimó (de esta manera). Así lo tienes que hacer primero contigo misma, tus papás, tu esposo, si lo tienes o tuviste, hijos, parientes y al final amigos o novios de antes. Es importante, pues existen ligaduras del alma que hay que romper. Pueden ser pactos, palabras de promesa no cumplidas o sentimientos entregados en esa relación, y estos impiden la prosperidad en nuevas relaciones, principalmente con Dios.

**Paso 7:** después, si Dios te revela que también tienes que pedir perdón, hazlo, pero sin esperar nada de ellos, ni siquiera un sí o no. De no ser así te puedes decepcionar. Recuerda que esto es por ti.

**Paso 8:** rompe todas las hojas en tantos pedacitos como te sea necesario para dejar todo eso a Dios y llora si tienes que llorar, grita, desahógate, pues es importante para tu sanación y liberación. En este momento es el ideal para tomar todo ese coraje y devolverlo a quien es el verdadero culpable. Para este momento ya tendrás la revelación de muchos de los causantes de tu desequilibrio y dolor. Ahora a deshacerte de ellos, nombra cada uno y di: «Yo (tu nombre) te resisto y te rechazo a ti, desilusión, rechazo, depresión, inseguridad, temor, desanimo, mentira, adulterio, lascivia, culpa, traición, incredulidad, falta de perdón, ceguera de espíritu, baja autoestima, contienda, celos, y junto con todos ustedes ata dolor que has dañado mi integridad en el nombre de Jesucristo ya no son parte de mí, no más ahora soy libre, tomo la decisión de perdonar y perdonarme. Padre, me abandono en ti y te dejo ganar, pues que ya no viva yo sino Cristo en mí.

**Paso 9:** escribe en otras hojas todo lo bueno que te dejaron esas personas y en otra todo lo que ahora tienes que Dios te ha dado, y agradece a DIOS, pues hay quien desea lo que tú tienes y pide perdón a DIOS si también tu corazón estaba endurecido con él o lo culpabas de algún suceso en tu vida.

**Paso 10:** quédate con lo mejor de todo y veras que te sentirás tan ligera y libre aparte de feliz, y si puedes haz una carta de amor a aquella persona que perdonaste o no puedes perdonar, esto te lleva a amar esa alma con misericordia antes que juicio y ya habrá espacio para todo lo que vendrá, de parte de Dios, y obtendrás un blindaje contra las malas cosas, Jesucristo ahora es tu escudo.

El corazón de DIOS nunca se endurece contra nosotros, él siempre está ahí buscando a sus ovejitas perdidas y esperando que ellas tomen la decisión de creerle. Recuerda: la palabra de DIOS es una caricia a el alma.

A veces sí perdonamos, pero cometemos el error de guardar el dolor, porque nos enfocamos en demostrar que estamos arrepentidos y también se vuelve un afán querer resarcir el daño, y nos olvidamos de que esto se trata de buscar de Dios. Yo cometí este error.

Y solo iba como las olas del mar, me esmeraba en que él me mirara diferente, bonita, y me utilizaba para estar bien y después me rechazaba. Y venía el dolor y otra vez me necesitaba y yo corría en su ayuda y otra vez venía el rechazo, entonces volvía a doler y así era un círculo vicioso porque no entendía que Dios permitió esto, porque Él tenia cosas más grandes para mí, y no comprendía por qué siendo hija de Dios y ayunar y orar y clamar no funcionaba para la restauración de mi matrimonio. Hasta que comprendí que él también tenía derecho a decidir que quería para su vida y Dios me mostro que él lo llamaba de muchas formas, pero él decidió seguir en su vida antigua, además de que no fue un matrimonio en Cristo y él no fue un hombre que DIOS me dio. Yo lo escogí porque en ese tiempo tenia necedad y él estaba ahí cubriendo esa necesidad.

Me resistía a creer que todo se acabó, que me pasó a mí y que era tiempo de caminar soltando el pasado. Cuesta mucho aceptar una infidelidad y el qué dirán, hay un miedo a la soledad y al abandono que nos orilla a la esclavitud de lo que nos lastima, humilla y destruye como mujeres.

Primero tienes que dejar que Dios te sane y tú poner tu parte, que es soltar a tu esposo o aquella persona que te dañó.

No intentes ayudar a Dios, Él no necesita tu ayuda, necesita tu fe. Si no crees Él sigue siendo Dios y tú perderás tiempo, esfuerzo, y ver tu promesa, pues solo Dios conoce la manera de hacer lo mejor para nosotros, y si es que esa persona regrese a tu vida, Dios lo traerá sin que tú hagas nada. Al tú enfocarte en Dios y amarlo de verdad te darás cuenta de que la voluntad de Dios es lo mejor y te llenará su amor y todo lo que sea para ti. Te lo dará si no sueltas el dolor y tomas el tiempo para vivir tu duelo, impides que el espíritu de Dios pueda tomar dominio de tu ser interior. Sin darte cuenta te blindas y no dejas a Jesús llegar a hasta ahí.

Como te dije, tra forma de sanar es escribiendo unas líneas de amor a esa persona que tanto o poco daño te hizo, aunque nunca se la des o si se puede como a tu padre, madre, hijos, no sé, según tu situación. No cometas el error de hacerlo con tu esposo, pues él esta segado y es contraproducente a menos que haya un arrepentimiento en él y te busque. Antes ora a Dios que te guíe, porque DIOS también restaura matrimonios, y yo creo que eso es hermoso regalo de Dios, pero eso es si está en su voluntad.

Como yo en aquel tiempo, muchas personas que tienen mucho de Dios, ya sea sabiduría, ciencia, profecía, y otros si no han soltado ese dolor de nada sirve, pues no estamos sirviendo a DIOS por completo. *1 Corintios 13*

La forma de sacar el dolor que Dios diseñó es amando y bendiciendo la fuente de tu dolor. Sí, qué cosa, ¿verdad? Pero así es, papi, sus pensamientos son más altos que los nuestros.

Cuando descubrimos eso, descubrimos que Dios ama a quien te dañó aún como es y lo perdona porque tú lo perdonas, y también busca redimirlo, por su misericordia.

Quien controla tu mente controla tu vida. El dolor en sí no es tan malo como los pensamientos que vienen y los dejas bajar a tu corazón, convirtiéndose ahí en raíces de amargura. Después salen de tu boca, como maldiciones convirtiéndose en pecados, los cuales llevas a cabo en esos momentos de dolor, pues de ahí muchos han echado a perder su vida y lado otros.

Ahora ya has aprendido que todos traemos heridas y que no puede tu estabilidad depender de otra persona sino de Dios y que, cuando abres la puerta de ese blindaje donde tienes el dolor, se abre la puerta hacia tu restauración. Recuerda: cada uno da de lo que hay en su corazón.

> *Mas lo que de la boca sele del corazón sale; y esto contamina al hombre. 19 porque del corazón salen los malos pensamientos, muertes, adulterios, fornicaciones, hurtos, falsos testimonios y blasfemias.*
>
> Mt 15:18 y 19

El pasado ya pasó, el futuro es incierto, solo tienes hoy.

Aquel que te hizo por fuera y por dentro sabe cómo limpiarte y te conoce aún mejor que tú misma. No confíes en el hombre, confía en Dios.

> *Porque yo derramaré aguas sobre el sequedal y ríos sobre la tierra árida; mi espíritu derramaré sobre tu generación y mi bendición sobre tus renuevos.*
>
> Isaías 44:3

> *Aprended a hacer el bien; buscad el juicio, restituid al agraviado, haced justicia al huérfano, amparad a la viuda; venid luego dice Jehová y estemos a cuenta; si vuestros pecados fueren como la grana, como la nieve serán emblanquecidos; y si fueran rojos como el carmesí, vendrán a ser como blanca lana.*
>
> Isaías 1:17,18

> *Bienaventurado aquel cuya trasgresión ha sido perdonada y cubierto su pecado.*
>
> Salmos 32:1

> *Mi pecado te declaré y no encubrí mi iniquidad. Dije: «Confesaré mis trasgresiones a Jehová; y tú perdonaste la maldad de mi pecado».*
>
> Salmos 32:5

# Oración para lograr el perdón

Padre, tú que estás en el cielo y de allá me miras y me escuchas todos los días y tienes misericordia de mí por tu gracia porque yo lo merezca, te pido con todo mi corazón y en el nombre poderoso de tu hijo amado Jesucristo que me enseñes a perdonar sinceramente, que pueda reconocer mis faltas primero ante ti y ante aquellos que he dañado.

A ti, oh, Jehová, levantaré mi alma. Muéstrame, oh, Jehová, tus caminos. Enséñame tus sendas de los pecados de mi juventud. No te acuerdes conforme a tu misericordia. Acuérdate de tu bondad, oh, Jehová, por amor de tu nombre. Oh, Jehová, perdona mi pecado que es grande. Mírame y ten misericordia de mí, porque estoy solo y afligido, no recuerdes contra nosotros las iniquidades de nuestros antepasados ni las nuestras para con nuestra dependencia, pon en mí un nuevo corazón y un camino con temor.

Porque Jehová el altísimo es temible, rey grande sobre toda la tierra.

Gracias te doy, padre mío, amado, porque tú me amaste primero. Te entrego el señorío de mi corazón. Gracias porque cada día creas en mí ese nuevo corazón y permites que tu Espíritu Santo me redarguya de pecado y pose sobre mí trasformando mi vida para ser un día digno de ti, aunque sé que solo tú eres digno.

Eres grande poderoso majestuoso, mi padre precioso. Te amo. Gracias.

Te doy y te lo pido en el nombre de Jesucristo, tu hijo amado.

## ¿Cuál ha sido tu experiencia al limpiar tu corazón?

# Oración para lograr el perdón

[illegible]

# El Amor

¡Hmmmmm, el amorrrrrrrrrr!

Tan hermosa palabra que encierra un mundo de gozo y multitud de secretos y tesoros que serían capaces de cambiar el mundo entero.

Solo los limpios de corazón reconocen cómo estar en un reposo de amor.

Ahora, después de la limpieza de nuestro corazón, ya hay suficiente espacio en tu corazón, mente y vida para llenarte del entrañable amor, ese que sacará todo temor, y de ti brotarán ríos de agua viva, los cuales darán vida en la sequedad de muchos que han pasado, están pasando o pasarán por desiertos áridos y secos, ya que ese amor entrañable crecerá en tu corazón cada día al también alimentarte de la palabra y la oración para estar en la presencia de Dios, pues recuerda ya no vives tú sino Cristo en ti. Claro, primero que todo para cumplir el primer y gran mandamiento.

> *Jesús le dijo: «Amarás al Señor tu DIOS con todo el corazón, y con toda tu alma y con toda tu mente».*
>
> Mt 22:37

Y el segundo, que es semejante a este:

> *«Amarás a tu prójimo como a ti mismo».*
>
> Mt 22:38

El verdadero amor es uno que no hemos conocido ni visto en este mundo de esclavitud en el cual estábamos, pero ya nuestro padre nos ha quitado para conocerlo y a su maravilloso amor.

## Jehová, Jesucristo y el Espíritu Santo son uno mismo y su esencia es el amor.

La verdadera gratitud nace de un corazón que ha encontrado la paz y la esencia del amor,

porque no es lo mismo agradecer de palabra que demostrar que estás agradecida.

Cuando un hombre y una mujer han tomado la decisión de limpiar su corazón y servir al Señor... ¡Guau! Son barro de la mejor calidad en las manos de Dios. Él hará grandes y hermosos jarros, los cuales serán grandes depósitos del agua viva al sediento.

## Amar a DIOS con toda tu mente, alma y corazón obedeciendo sus mandatos, resistiendo a las tentaciones

*El amor es sufrido,*
*el amor es benigno,*
*no es fantasioso,*
*no se envanece,*
*no hace nada indebido.*

*EL AMOR*
*no busca lo suyo,*
*no se irrita,*
*no guarda rencor,*
*no se goza de la injusticia,*
*mas se goza de la verdad.*

1 Corintios 13

*EL AMOR*
*todo lo sufre,*
*todo lo cree,*
*todo lo espera,*

*todo lo soporta.*
*El amor nunca deja de ser, pero las profecías se acabarán y cesarán las lenguas, y la ciencia acabará.*
*Y ahora permanecen la fe la esperanza y el amor, estos tres; pero el mayor de estos tres es el amor.*

1 Corintios 13

Para mí, y yo creo que para muchos, esta descripción del amor es la descripción de Jesucristo, el rey de reyes y señor de señores.

Yo creo que nadie podría alcanzar este nivel de amor, pues solo Él es perfecto como este amor.

Pero sí creo que cada día podemos con su gracia y favor y con nuestra decisión trasformar nuestra manera de amar, la cual casi siempre es esperando algo a cambio.

El amor de Dios es incondicional y él siempre nos atrae y espera a su entrañable amor.

Pero es un reto que todos debemos tomar cada día tratar de que nuestro amor pueda mostrarles a los demás que realmente Cristo cambia las vidas.

¿Sabías que, aunque diéramos todo lo que tuviéramos a los pobres sacrificáramos todo por alguien o por muchos, si tuviéramos el don de profecía y diéramos verdad o si entendiéramos toda la ciencia y tuviéramos todo el conocimiento de la teología, y si habláramos todas las lenguas angélicas o del mundo, pero no tenemos el amor o sea a Jesucristo en nuestro corazón todo esto de nada vale, nada somos?

**Todo lo sufre**
sufrió muerte de cruz por ti y por mí
**Todo lo espera**
cada día Él espera que lo amemos y recibamos
**Todo lo soporta**
aun con nuestros pecados él nos ama
**No busca lo suyo**
Renunció a ser igual a Dios para venir a salvarnos
**Es benigno**
No hay otro más bueno que él no hay uno

Todo esto quiere decir que, si nuestras obras fueran mayor que todas, y fuéramos los más inteligentes del mundo, tuviéramos mucho dinero y esto nos hiciera sentir bien o que llena tu vida, pues no si no tienes a Cristo y su amor realmente tu vida está vacía.

Por eso es por lo que hay personas que aunque lo tienen todo sienten ese gran vacío en su vida. A todos nos llega un momento de la vida el hambre y necesidad de alimentar la parte de la divinidad que hay en cada uno; de hecho hay quienes han tomado la mala decisión de quitarse la vida al no entender ese vacío en su vida.

Un día tiempo antes de que comenzara mi proceso yo creí que lo tenía todo, de hecho fue una sensación rara, pues de repente sentí miedo.

Algo que me decía: «Te falta algo desde ahí». Yo creo que ya Dios trataba de alertarme de lo que vendría, pero no lo entendí.

Pero mi bendito padre no se olvida de nosotros y Él vino con su inmenso amor y llenó toda mi vida con su amor y misericordia, me tomó y me levanto cuando nadie lo hizo.

## Cuando era mi fin su gran amor fue mi principio.

Pero este fue más perceptible cuando pude entregar todo a Dios todo aquello que me atormentaba y me hacía daño al crecer en mí la amargura.

Conocer el amor de Cristo comenzó a cambiar mi vida, bueno más bien cuando se me reveló realmente fue el mejor cambió todo lo que tuve que vivir para conocer ese amor. Valió la pena y creo que somos privilegiados de pasar las tribulaciones, pues estas traen eterno peso de gloria a nuestra vida y esto es una gran señal de que Dios te está buscando y es para cambiar tu vida y la de los que amas, solo que Él no prepara tu bendición, te procesa a ti para la bendición que quiere darte.

## ¿Qué es amar?

### Amar es una decisión

Amar es creer en DIOS

Amar es valorar el sacrificio de la cruz

Amar es servir a las demás

Amar es entregar tu corazón a Jesucristo

Amar es decirlo sin una palabra

Amar es adorar con tu vida

Amar es reconocer que dé Él es todo

Amar es dar a Jesús el señorío de tu vida y gracias en cada amanecer disfrutándolo

Amar es dar lo que el otro necesita y desea y no lo que tú quieres. Amar es dar una caricia, una mirada, sin una palabra, y ahí viene la magia del verdadero amor, ese que permanece a pesar de todos los errores. El verdadero amor no deja de ser.

Hay pensamientos y mandatos de Dios los cuales dejó Jesucristo que parecen locura en comparación de lo que se nos enseñó en el mundo.

Pero ¿sabes un secreto?

Estos son la medicina de los enfermos,

la paz de los preocupados,

la salida de los presos,

la luz de los que están en obscuridad,

el agua de los sedientos,

la compañía de los solitarios,

la respuesta a tus preguntas,

la esperanza de los desesperados,

la libertad alas cautivos,

el pan para los hambrientos,

la salvación de los pecadores,

el barco de los náufragos,

el amor de los dolidos,

la guía de los perdidos.

Jesucristo dice:

*Bendecid a los que os persiguen,*
*Bendecid y no maldigáis.*

Rom 12:14

*Ama a tu prójimo.*
*como a ti mismo.*

Mt 22:38

*No seas vencido de lo malo*
*sino vence con el bien el mal.*

Rom 12:21

*Y al que quiera ponerte a pleito y quitarte la túnica déjale también la capa.*

Mt 5:40

*Pero yo os digo: Amad a vuestros enemigos, bendecid a los que os maldicen, haced bien a los que os aborrecen y orad por los que nos persiguen.*

Mt 5:44

## Hay varias clases de amor

- Amor eros: el amor carnal apasionado sexual
- Amor fileo: amor al prójimo (respeto, gentileza, y la cooperación)
- Amor ágape: la frecuencia más profunda del amor a Dios (pureza, incondicionalidad la devoción)
- Amor storge: un amor fraternal comprometido y duradero protección, lealtad

En toda mi vida hubo varios sucesos donde el dolor estuvo presente y el enemigo trató de que eso me destruyera, pero Dios sin yo saber usaba esto para prepararme para este tiempo. Poderte decir: se puede salir, se puede levantar, se puede olvidar o al menos recordar sin dolor.

Se puede trasformar tu vida y llegar a ese tiempo de reposo de paz, de cosechar a veces cuando ni siquiera sembraste.

Y todo esto es posible en la presencia de DIOS.

La verdad, yo siempre me preguntaba por qué a mi corta edad había vivido tantas cosas, hoy sé que era para dar testimonio de que Jesucristo es poderoso para sanar las heridas más profundas y grandes de nuestras vidas.

Como ya te dije, uno de mis errores fue poner a mi esposo delante del amor de DIOS. Muchas veces reclamé a DIOS y la verdad me da vergüenza decirlo, pero sé que mi padre ya me perdonó porque a pesar de todo esto Él me siguió buscando, no se cansó.

A pesar de la mujer incrédula que era yo, pues ni aun con el paso por el desierto más seco y árido creía, yo seguía aferrada a que el amor del hombre fuera mi refugio mi sanación.

No me imagino el dolor de mi Jesús cuando yo lloraba por mi esposo, y creía que sin él se me acababa la vida.

Y Él ahí, esperando con sus hermosas y tiernas manos para que yo me diera cuenta de que estaba junto a mí, para ser mi refugio, mi roca, mi salvación, mi proveedor, mi amigo, mi ayuda incondicional, el amor que nunca pensé que existía. Me di cuenta de que el amor que siempre deseaba estuvo siempre ahí y que nunca se alejaría, que Él nunca me traicionaría, no me dejaría, no, él es fiel.

> *Por lo cual estoy seguro de que ni la muerte ni la vida, ni ángeles ni principados, ni potestades ni lo presente, ni lo porvenir, ni lo alto ni lo profundo, ni ninguna otra cosa creada nos podrá separar del amor de Dios.*
>
> Rom 8:39

Al tomar la decisión de seguir a Cristo comienzas a alimentar esa parte de la divinidad en nosotros y entonces se verá en ti la paz que sobrepasa todo entendimiento. En su infinito amor Dios me recibió y me llevó a lugares privilegiados que jamás imaginé.

A pesar de todo mi pasado de pecado y amargura, para Él soy más que una joya preciosa. ¡Guau! Solo Él te mira como nadie te ve.

Predicar es el sueño que nunca ni siquiera imaginé.

Estar al lado de mis pastores como si yo fuera una mujer preparada sin estarlo ha sido un privilegio.

Poder dar una palabra a alguna alma desconsolada es un privilegio.

Pero el mejor ha sido poder reivindicarme como madre y como persona. Habría deseado hacerlo con mi esposo, por lo que me dio al compartir su vida conmigo. Reconozco que no fui muy tierna o comprensiva con él, sé que fue su decisión lo que pasó y yo contribuí, sin darme cuenta, por la ignorancia de no conocer a DIOS y su voluntad, a que él se alejara de mí,

pero sé que todo era para un hermoso propósito conocer el gran amor el amor de Jesucristo en mi vida y traerlo a otros y ama familia.

Ahora he conocido el río de agua de vida del cual Jesús me dio de beber y un pez el cual sería mi sustento y nunca me faltaría. Esto lo hizo en un sueño tan hermoso...

Y yo estaba de un lado del río y del otro en la ciudad de Jerusalén y el río salía de sus pies y el agua era tan cristalina que parecía como diamantes en el agua.

Creo que es la única vez que soñé a Jesús. Solo escuchaba su voz y miraba sus pies, nunca lo olvidaré.

## *El amor que excede a todo conocimiento.*

Efes 3:19

*El amor no dejará de ser, pero las profecías acabarán y cesarán las lenguas y la ciencia acabará.*

1 Cor 13

Ahora has pasado al mayor estado de un hijo de DIOS. Ese es el enamoramiento más sublime de tu vida, pues, cuando estés perdidamente enamorada de DIOS, será probado tu amor al prójimo, al que no te ama y al que te rechaza. Ahí será tu prueba de fuego, ámate, consiéntete amando a Dios primero y verás todo como Él lo ve y amarás como el ama, irónicamente Dios usó a quien me traicionó para pasar esta pequeña prueba, pero fue en su tiempo cuando mi corazón había sanado, y aun así esto duele, pero si pasas la prueba habrás encontrado el reino de Dios y su justicia y todo vendrá por añadidura. Mt 6: 33

Pues aunque mi matrimonio no fue restaurado, ahora descubrí que amo a DIOS y que me dé o no lo que yo deseaba, Él es mi luz y ha sido mido mi esposo y mi amigo.

# Oración para que Jesucristo te llene de su amor

Padre precioso, grande y majestuoso, Tú que eres la esencia misma del amor y que has demostrado al mundo tu maravilloso y entrañable amor dando a tu hijo amado primogénito para morir en la cruz por la salvación de todos nosotros.

> *Para que todo aquel que creo en él no se pierda más tenga vida eterna.*
>
> Juan 3:16

Por eso te ruego y clamo, para que este nuevo corazón de carne y sensible a ti lo llenes con tu precioso amor y cambies mi forma de amarte, a mí misma, a mis hijos y a mi prójimo de acuerdo con tu voluntad preciosa.

> *Bienaventurado el hombre a quien tu Jehová corriges, y en tu ley lo instruyes para hacerlo descansar en los días de aflicción, en tanto que para el impío se cava el hoyo.*
>
> Salmos 94:12

> *Padre, te pido que esta tu palabra me la reveles y me des entendimiento de mi proceso y de tu amor. Te entrego mi corazón, mis emociones y sentimientos, para que tu amor los gobierne y me des tu espíritu de amor de poder y de dominio propio.*
>
> 2 Tim 1:7

*¿Quién subirá al monte de Jehová?*
*¿Y quién estará en su lugar santo?*
*El limpio de corazón, el que no ha elevado su alma a cosas vanas, ni jurado engaño.*

Salmos 24:3,

Padre, en el nombre de tu amado hijo Jesucristo, te ruego que limpies mi corazón y tu amor no permita que mi alma vuelva alto malo portavoz no me desampares ni de noche ni de día.

*Amad a Jehová, todos vosotros sus santos. A los fieles guarda Jehová y paga abundantemente a los que proceden con soberbia.*
Salmos 31:23

Oh, Jehová, cuán grandemente has cambiado mi vida y yo creo que cambiarás la de todas las personas que amo.

Que tu Espíritu Santo me sustente y transforme mi corazón de acuerdo con el tuyo, o Jehová. DIOS mío, gracias por tu grande e infinito amor y porque sé que siempre me escuchas y me respondes.

## ¿Qué tal te fue con el amor de DIOS?

A mí un día DIOS me revelo esto:

DIOS ES AMOR.
La esencia del amor es el Espíritu Santo.
La prueba del amor es Jesucristo.
La clave del amor eres tú.

**Y tú, ¿cómo amas?**

# Fe

Esta es la palabra más pequeña así como la semilla de mostaza pero al igual que la semilla crece en ti como un gran árbol el cual con tu disposición y entrega será sembrada en buena tierra y dará grande fruto y una enorme y profunda raíz y cuando vengan vientos y tormentas te moverán, pero no te derrumbarán, pues también darás sombra y descanso a muchos a causa de tu gran follaje fuerza y fortaleza en Jesucristo

> *La fe es el escudo que nos protegerá de los dardos del enemigo.*
>
> Efesios 6:10,18

Y créeme, son de fuego, eso recuérdalo.

Y comúnmente usa a las personas que amas, por eso son de fuego, pero la fe en que Dios es todo poderoso y el creador de todo, quien hizo las grandes lumbreras, al que dividió al mar Rojo en partes e hizo pasar a Israel por en medio de él.

Al que pastoreó a su pueblo por el desierto.

Él es el que en nuestro abatimiento se acordó de nosotros y nos rescató de nuestros enemigos, el que da aliento a todo ser viviente. *Salmos 136*

> *Alabad al Dios de los cielos, porque para siempre es su misericordia.*
> *Este escudo tú lo construyes cada día en la presencia de Dios, porque todo lo puedes en Cristo que te fortalece.*
>
> Fil 4:13

*¿Hay acaso algo imposible para DIOS?*

Génesis 18:14

La fe es la certeza de lo que se espera, la convicción de lo que no se ve. Es la constancia de lo que se quiere y espera descansando en el señor.

La fe viene por el oír y oír la palabra de DIOS. La fe es un don de DIOS para sus hijos amados. La fe mueve montañas. La fe sin obras es muerta.

La fe es el escudo de Dios, para ti. En ti ha puesto su confianza.

Sabes que existe, pero no sabes si lo lograras. Solo esfuérzate y sé muy valiente, pues solo los valientes y esforzados arrebatan el reino de los cielos. Si crees lo mejor es que Dios dice: «para mí todo es posible», pero como a Ezequiel te preguntará: «Crees que los huesos secos vivirán, tú que dices?

¿Hay acaso algo imposible para Dios?

Cuando entregas tu confianza en Dios y descansas en Él verás su mano mover montañas frente a ti. *Hch 11:1*

Porque Él se goza viendo tu fe en Él *Rom 10:17 2:14*

Y el milagro sucederá *Josué 1:9*

Recuerda, has lo que no has hecho y verás lo que no has visto en este mundo.*génesis 18:14*

## No te preocupes.

si DIOS lo dijo DIOS lo va a hacer.

Él es fiel, no hay otro mejor que Él.

Pon tus ojos en Jesucristo, el consumador de la fe. *Hch 12:2*

*Mas yo a Jehová miraré, esperaré al DIOS de mi salvación. El DIOS mío me oirá.*

Miqueas 7:7

Cuando el enemigo sabe que vas hacia la salida de tu desierto, trae piedras de todos los tamaños y colores, por lo que verás todo lo contrario de lo que quisieras ver o de lo que DIOS te prometió y te serán de tropiezo, si no recuerdas que vendrán los dardos de fuego.

Y en el paso entre ellas habrá ofertas que te ofrecen una salida fácil o un atajo, pero si caes pagarás un alto precio, el cual es tan alto que terminarás en la miseria espiritual o hasta la económica, y si no te das cuenta a tiempo y te vuelves a DIOS otra vez, caminarás nuevamente en círculos en el más árido y cálido desierto, retrasando así tu llegada a la tierra prometida, que es ver tu promesa hecha realidad.

Yo no lo recordé y esos dardos me envolvieron el veneno en chocolate y retrasaron mi salida del desierto.

Lograron sacarme de la fe varias veces, porque mi fe estaba mal enfocada, seguía siendo en el hombre no en que Dios desea nuestra restauración con el primero, y Jesucristo es el que dio su vida por esa oportunidad de una nueva vida y relación con Él, la cual trae una paz en medio de la tormenta, porque sabes que nunca más estarás sola ni vacía.

Pero la misericordia de Dios fue tan grande como su amor para mí, que no me soltó de su mano y siempre se encargó de recordarme que estaba ahí, muchas veces me hacía la que no lo escuchaba, pero la verdad es imposible que cuando ya eres hija el Padre permita que lo que Él deposito en ti se desaparezca, pero tú decides seguir o no.

*Porque irrevocables son los dones y el llamamiento de Dios.*

Rom 11:29

La verdad, en ese tiempo en que perdía la fe me alejé un poco de DIOS por el amor del mundo, pero no era feliz, pues cuando ya tienes en tu corazón el temor de DIOS, el espíritu de DIOS te redarguye de pecado y a veces sentía que un rayo me caería del cielo y me partiría en dos y nuevamente ahí mire la mano y el amor de Dios su gracia y gran misericordia.

Nuevamente me llamó, me dio la oportunidad de escoger un día en la iglesia de mi amiga Blanquita. Ella me ofreció predicar en un cafecito y en ese momento Dios en mi mente me dijo: «Es tu decisión: el mundo o yo». La verdad, no lo pensé mucho, me di cuenta a tiempo de que estaba en un error y me decidí por Él.

Y he aquí, me devolvió mi pasión para predicar su palabra.

Solo Él hace esto, pues Dios es soberano, pero aun así te da a escoger.

Cada tropiezo me hacía más fuerte y astuta para un día ser la gran guerrera que DIOS vio en mí.

Fe

es no quitar la mirada de Jesucristo nunca voltees a ver tu tormenta, porque te hundirás; pero si esto pasa, como ama y a Pedro clama:

Señor, sálvame *Mt 14:22*

Fe

Justificados, pues por la fe tenemos paz para con Dios por medio de nuestro señor Jesucristo. *Rom 5:1*

Fe

Y entonces Jesucristo te salvará y junto a él vendrás caminando de nuevo a la barca.

Fe

Jehová es mi luz y mi salvación, de quien temeré, Jehová es la fortaleza de mi vida. de quien he de atemorizarme. *Salmos 27*

Ahora tengo puesta mi fe en Él, y he visto muchas promesas cumplidas muchas y sé que a su tiempo veré las que anhela mi corazón, claro, tanto en lo espiritual como en lo natural.

Aparte de tener una relación con mi padre y un día escuchar su voz audiblemente como Moisés o Abraham, en lo que es lo espiritual y ser instrumento de DIOS para dar frutos de amor luz y esperanza a otros.

En lo natural, ver a mi familia sirviendo a Dios, y pues claro recibir todo aquello que tiene para nosotros.

Sé que sus tiempos son perfectos y he aprendido a esperar con paciencia el bendito fruto de la fe y el amor de Dios.

Tu fe debe ser la fe de lo imposible y debe superar todo lo posible. Claro, siempre y cuando sea de acuerdo con la voluntad de Dios

Con la fe en tu corazón tienes que empezar a ver y llamar las cosas que no son como si fueran.

Y he aquí que se levantó en el mar una tempestad tan grande que las olas cubrían la barca; pero el dormía y vinieron sus discípulos y le despertaron diciendo:

«¡Señor, sálvanos, que perecemos!»

Él dijo:

«¿Por qué teméis, hombres de poca fe?». Entonces, levantándose, reprendió a los vientos y al mar y se hizo grande bonanza. *Mar 8:25*

Aquí Dios nos enseña que, si en la espera solo vez la tormenta y tres, y vez que Jesús está dormido, ten fe, despiértalo con tu alabanza y oración, Él despertará y hará cesar la tormenta. Nada es para siempre, todo tiene su tiempo debajo del sol

*Eclesiastés 3*

Piensa de qué tamaño es tu fe y así será tu milagro y tu testimonio.

¿De qué tamaño lo quieres?¿Hasta dónde alcanzas a imaginar? Porque Jesucristo es poderoso para hacer las cosas mucho más abundante de lo pedimos o entendemos según el poder que actúa en nosotros.

*Efesios 3:20*

La fe es algo que se ha ido perdiendo en el afán y la tecnología del mundo, así como el pecado ha ido creciendo, llamando bueno alto malo y malo a lo bueno.

Pero Dios nos llama en este tiempo a volver a creer en el Dios vivo al Dios de Abraham, al Dios de moisés, el Dios que concedió el deseo de alias de que no lloviera, al Dios de Ester.

Ellos y otros eran hombres y mujeres que creían en Dios todopoderoso, grande y maravilloso.

Que aun como nosotros también hubo un momento de duda, de dolor, de tristeza, de tribulación, de espera, de las promesas, pero su corazón y su fe se mantuvo en Jehová.

Y sabes que tú y yo y todos tenemos algo que ellos no tenían que es la gracia de Jesucristo.

El enemigo se ha encargado por muchos medios de sabotear tu fe y usará aun a los que te aman para desanimarte, aun a hombres y mujeres servidores de Dios que te decepcionan. Pero recuerda: tu confianza está en Dios, no en el hombre pues. Si nos alejamos Él sigue siendo Dios, pero nosotros nos perderemos.

Recuerda: la pelea no es con carne y sangre, sino contra principados, potestades, gobernadores de las tinieblas. Efesios 6:12

Nuestro señor amado Jesucristo vivió entre los hombres y miro la maldad, y nos dejó millones de pruebas de fe. En los milagros que hizo dicen que no alcanzarían los libros para escribir a detalle todo lo que él hizo por los hombres.

Sanó leprosos, levantó a paralíticos, enderezó a jorobados, sanó corazones, transformó vidas, levantó a los caídos, alegró a los enlutados, liberó a los endemoniados, resistió al diablo y lo venció al morir en la cruz, lo avergonzó y en él las promesas de Dios son el sí y amén en nosotros por medio de Él, ¿y sabes lo mejor?, que no ha muerto, Él vive y aún está entre nosotros y aún sana, libera, ama, pero lo mejor que se nos estaba olvidando algo y lo más importante.

*Mar cap. 8 y 9 2 Cor 1:20*

*Jesucristo nuestro amigo tiene el poder de la resurrección. Si para él ni la muerte es un problema*

Mar 16:6

*porque nada hay imposible para Dios.*

Lc 1:37

*Y bienaventurado el que creyó, porque se cumplirá lo que le fue dicho departe del señor.*

Lc 1:45

Todo es posible si puedes creer y confiar.

Dios ha hecho cosas maravillosas en mi vida, desde cumplir un pequeño deseo o antojo, sanarme de dos males en mi cuerpo, mandar ángeles a salvar el alma de mi padre, hasta transformar mi vida, la de mis hijos y, claro, aún estamos en ese proceso de restauración y sanación de nuestro corazón, y la gloria y la honra es para mi padre y señor Jesucristo.

Cuando mi padre se encontraba enfermo, ya muy cerca de su muerte, yo le pedí a Dios que hiciera algo para que el alma de mi padre no se perdiera, pues, aunque yo ya era cristiana, aún no adquiría la identidad y autoridad de hija ni tenía la sabiduría para hablarle del arrepentimiento y de que recibiera a Cristo en su corazón.

Un día, estando muy triste y pidiendo a Dios por mi padre, en el mercado sobre ruedas a lo lejos miró 3 hombres altos, blancos. No sé, sentí algo como miedo y a la vez vergüenza. Me senté y cerré mis ojos, no me imaginaba que venían hacia mí, hasta que sentí a uno de ellos sentado frente a mí y su mano sobre mi hombro, y dijo: «¿Necesitas algo?». Guau, ahora me sorprendo de esto.

Abrí mis ojos y miré los suyos tan hermosos y brillantes, y sollozando le dije lo que necesitaba, que no quería que mi padre muriera sin recibir a Cristo, y ellos me dijeron: «Llévanos con tu padre, a eso hemos venido».

Y les dije: «Es que no puedo dejar el negocio solo», y él me dijo: «No te preocupes, DIOS tiene todo bajo control».

En ese momento mi hijo mayor estaba detrás de mí y dijo: «Mamá, vine a ver si necesitabas algo».

En ese momento no pensaba que todo era obra de DIOS, pues Él escuchó mi oración.

Los lleve y sí, hablaron con mi padre, y él tuvo descanso en su alma y recibió a Cristo en su corazón.

Enseguida salieron y cuando yo salí tras ellos después de un momento ya no los vi. ¿Quiénes eran? ¿De dónde venían? No lo sé, en ese momento no lo pensé hasta después de tiempo reflexioné al platicarlo a alguien.

Al igual DIOS lo hizo dos años después con mi madre. Ella por diversos motivos tristes en su vida estuvo muy sola, padecía al igual que mi padre de la horrible enfermedad de diabetes.

Mi madre tenía un gran corazón misericordioso, pero un día la alcanzó el dolor y la decepción de la traición y en su corazón hubo amargura y un poco de dureza.

Al tiempo de su muerte viajé para ir con ella, pero al bajar del avión me encontré con que ya agonizaba, solo me estaba esperando para morir, y tampoco quiso arrepentirse de corazón, ni recibió a Cristo. Nuevamente DIOS me escuchó, yo le pedí que me dejara alcanzarla para darle al menos la oración de fe.

Pero como siempre el amor de DIOS es tan grande con todos y hace las cosas mucho más abundantemente de lo que podemos pedir, que al llegar sí estaba muy mal tenía dos o tres días sin comer y apenas hablaba. Le hablé del amor de DIOS y de lo que él nos amaba, que podía cambiar el corazón y le pedí que nos bendijera. Ella solo dijo: «Acuéstate conmigo y abrázame».

Y lo hice. Me imaginaba que en mis brazos moriría, pero nos quedamos dormidas y también mi hermana y tía que la cuidaban 4 horas después.

Ella despertó como si no estuviera enferma y me pidió de comer y me dijo: «¿A qué hora llegaste, no me di cuenta». A partir de ese día DIOS le regaló a mi madre casi una semana de salud para darse cuenta de que lo que verdaderamente vale en la vida es el amor, pues ella me decía: «Ama. No me des besos, dame pesos».

Ella según ya había pedido perdón, a los que les había hecho mal, pero no era sincero en estos días. DIOS quitó este velo de sus ojos y ella vivió realmente el amor de DIOS y la oportunidad de recibir a Jesucristo e ir con DIOS.

De hecho un día que me tocó cuidarla la escuché hablando con DIOS y le decía: «Dime, ¿qué más me falta para irme contigo? No me quiero ir con los malos, dime a quién más tengo que pedir perdón».

Me decía que miraba flores blancas en su cuarto, pero también en sus pies a las malos solo DIOS sabe cómo es esos momentos, pero lo importante es que DIOS tuvo misericordia de ella y la rescato, así es DIOS, imagínate qué puede hacer por ti.

O los que amas de hecho pensándolo bien desde el día que murió mi padre comenzó mi proceso también. Al morir mis padres enfermé de diabetes, pues para mí fue muy duro, apenas salía del dolor de mi padre y vino el de mi madre, y tengo esa a la mejor mala idea de que las penas con pan son menos y me pasé con el pan de dulce; de hecho, descubrí ahora que sí, las penas con pan son menos, pero con el pan de vida, que da estar en una relación con Cristo. Bueno, el chiste es que enfermé de diabetes, engordé y también de baja presión pues me enfoqué en el trabajo demasiado para no pensar.

Cuando el doctor me dijo que tenía diabetes, vino a mí todo el calvario de la vida de mis padres y dije: «No, no lo acepto». De hecho fue una casualidad que me enterara porque ni siquiera fue porque yo me fuera a hacer un chequeo sino por un trámite, pero esa es otra historia.

En ese momento salí de ahí y creí en que DIOS me sanaría. No sabía bien cómo decirlo, solo lo creí y tome la decisión de que, si DIOS me sanaba cambiaria mi forma de vida y me amaría más, y si al siguiente mes. Ya no tenía nada, pero la otra es mejor.

Un día en camino a la iglesia me dio una infección en mis pies causada por la tierra, el calor y las bacterias de la tierra, se alojaron en mis piernas recién depiladas.

Sí, fue muy feo, me salieron muchas ronchas, como roña me sangraban y llenos de pus. Hasta el doctor me hizo el feo.

Así paso casi una semana y nada, no se me curaban. Faltaban pocos días para que me tocara predicar y pues tenía que usar falda, así que ese día hubo culto y hablaron sobre la fe.

Así que llegué a mi casa y oré, le pedí a DIOS que me sanara si él quería que siguiera predicando.

Y DIOS nuevamente me escuchó en ese momento. Sentí como remolinos en mis piernas, la verdad ni sintiendo aquello creía, sentí temor.

En ese momento me hablaron a cenar y me olvidé de lo que pasaba. A la mañana siguiente desayunando me dijo mi nuera: «Oiga, ¿qué pasó con su roña? No la he visto que se rasque». Y le dije: «Sí, verdad». Me levanté la piyama y no tenía nada.

Era imposible, ningún medicamento me lo había quitado, solo DIOS lo podía haber hecho. Fue impresionante, solo una pequeña picazón me quedó para testimonio.

Y así me puedo pasar hojas y hojas diciéndote todas las maravillas que él ha hecho en mi vida y sigue haciendo. Le agradezco hoy todo lo que he pasado porque soy ahora una mujer con fe, y no por lo que él me pueda dar, sino por lo que ya me dio a Jesucristo en mi vida.

Una hija de DIOS, una princesa, una mujer que ha ganado almas para mi Cristo, una mujer que jamás imaginé que había en mí.

Nunca en mi vida me imaginé que alguien podía cambiarme de esa manera. Bueno, ni siquiera sabía que estaba mal y que había otra vida.

Y si de algo me arrepiento es de no haber conocido y seguido a Cristo desde hace muchos años.

Pero hoy aún hay tiempo para ti para mí y para todo aquel que podamos traer al señor. ¿Sabías que aun los demonios saben quién es DIOS y tiemblan? *Stg 2:19*

¿Cuál es tu fe? ¿en qué crees? ¿hasta dónde te gustaría llegar con tu fe?

¿Qué puede hacer el DIOS al que sirves? ¿la fe puede dar vida?

¿Sabías que tú eres una dadora de vida, una guerrera la cual no está sola, tiene al DIOS vivo y toda su bondad y poder? Solo debes creer.

# Oración de la fe

Padre creador de todo lo que hay, visible e invisible, en este día vengo a ti primeramente a entregarte todas mis cargas, pero hay una en especial que pesa y hace que las demás sean más pesadas es la incredulidad.

No me ha dejado llegar a un nivel de fe en ti, como a ti te gustaría.

Por favor, en el nombre poderoso de Jesucristo, desata de mí la incredulidad, el desánimo y todo obstáculo que impida que yo crezca como una guerrera de ti para ser tu instrumento.

Yo renuncio y rechazo toda incredulidad y desánimo, depresión en el nombre de Jesús. Padre, quita cualquier velo de mis ojos, que no me deja ver las maravillas que has hecho alto largo de mi vida, porque el afán, el estrés, la preocupación y las responsabilidades me habían segado. Deseo crecer en fe  para agradarte y glorificarte. Tu palabra dice que tú das el don de fe, yo vengo con toda la humildad a pedirte *Efesios 2:8* que me lo des y que venga a mí por el oír y oír la palabra, *Rm 10:17* y que así yo pueda dar a otros mi testimonio de los milagros que haces en mi vida por tu gracia y por poner mi confianza en ti, especialmente por amarme y levantarme cuando nadie lo hacía.

Dirígeme en mis caminos, decisiones, pensamientos, sentimientos, pero sobre todo en mi propósito para tu reino y que mi fe no sea muerta, sino se muestre en mis obras, y que toda *Stg 2:17,18* tribulación. Revélame lo que debo aprender porque sé que  de ella vendrá un bien para tu gloria. Llena mi corazón con tu  amor y fe todos los días de mi vida, que tu misericordia no se  aparte de mí y de tu mano no me sueltes. Gracias, padre, en el nombre de Jesús.

Amada princesa, ¿cuál es tu fe?

Anota tus experiencias de fe para que queden documentadas y un día las heredes.

Existen varios tipos de personas:

- las que en escuchado de milagros
- las que en visto milagros
- las que creen que existen los milagros
- las que anhelan un milagro
- y las que testifican sus milagros

## ¿Tú de cuál eres?

# Promesas de Dios en la fe

*Así dice Jehová Dios, creador de los cielos, y Él despliega, el que extiende la tierra y sus productos, el que da aliento al pueblo que mora sobre ella y espíritu a los que por ella andan.*

Isaías 42:5

*Yo Jehová te he llamado en justicia y te sostendré por la mano; te guardare y te pondré por pacto al pueblo, por luz a las naciones.*

Isaías 42:6

*para que abras los ojos de los ciegos, para que saques de la cárcel a los presos, y de casas de prisión a los que moran en tinieblas.*

Isaías 42:7

*No os acordéis de las cosas pasadas ni traigas a memoria las cosas antiguas. He aquí que yo hago cosa nueva, pronto saldrá a la luz. ¿No la conocerías? Otra vez abriré camino en el desierto y ríos en la soledad.*

Isaías 43:18,19

*Ahora pues oye, siervo mío, y tú, Israel, a quien yo escogí.*

Isaías 44:1

*Prepárate para la conquista. Levántate y pasa este Jordán. Nadie te podrá hacer frente todos los días de tu vida, esfuérzate y sé valiente, muy valiente, no se aparte de ti este libro de la ley sino de día y de noche meditarás en él para que todo te salga bien, no desmayes, estoy contigo.*

Josué 1:1,9

# La oración

La oración es el contacto directo con Dios Padre, hijo y Espíritu Santo es ir al lugar de la intimidad donde debemos y podemos ser nosotros mismos sin caretas ni secretos; es desnudar el alma, y desmenuzar el corazón y sus intenciones; es humillar el espíritu en un clamor de dolor o necesidad; es el mejor momento para la alabanza, llamando así la atención de nuestro padre celestial y dejando que el espíritu nos redarguya y toque las fibras más sensibles, donde nadie puede llegar. Así vendrá a nosotros la verdadera trasformación a ser a la semejanza de Dios. A veces ni siquiera se necesitan palabras o grandes parlamentos, tan solo un corazón contrito y humillado doliente por su o las almas perdidas en las tinieblas de las diferentes tribulaciones, pues el padre nos conoce aún más que nosotros mismos y misericordioso es para con su pueblo.

O lvidar que no se puede

r enunciar a la incredulidad

a garrarte de las promesas

C on un corazón contrito

i niciando la mejor relación

O rando en todo tiempo para

n o dudar sino dar gracias

A mí me ha funcionado. ,Prueba en verdad Dios te escucha y pareciera que apunta con detalle lo que le pediste. Con el tiempo amarás más a Dios, pues la intimidad lleva al amor y la constancia a la fe. Aprenderás a escuchar, ademarte, dirigir, amar, consentir, transformar, pero sobre todo verás lo que no has visto, si puedes creer.

> *¡Por tanto os digo que todo lo que pidieres en oración creed que lo recibiréis!*
>
> Mt 21:22

¡Pues el Dios al que sirves, Jesucristo, no está muerto, Él vive!

Durante mucho tiempo luche, con todas mis fuerzas, para cambiar a mi familia, y a otras personas.

La verdad, nunca pensé que la que tenía que cambiar era yo y aceptar a las demás como son. Claro, si eso no atenta contra mi integridad.

En lugar de querer hacerlos entender tenía que orar por ellos; y ser diferente, yo mirar lo bueno de cada quien y reconocérselos es algo que comúnmente no hacía.

Ese fue uno de mis más difíciles procesos, pues era yo muy posesiva y creía que todo lo hacía bien y que así era y ya era una mujer contenciosa.

**Sí, yo era la que tenía que cambiar.**

ese yo yo quiero yo necesito yo estoy bien
yo puedo yo lo haré yo decidí yo sí sé
yo pensé yo creía que así era yo digo yo voy
yo soy la que sabe yo dije que así es que yo ya

¿Cuáles son tus yoes que te hacen ser necia?

## El yo es nada más que orgullo, vanidad o soberbia.

También a veces este yo se debe a la baja autoestima. Todo esto de las emociones y el carácter son cosas muy delicadas en las que solo Dios con su infinita sabiduría te puede revelar y aconsejar.

Por eso es la importancia de la oración ferviente de esa nueva relación de amor con el único que tiene el poder de transformar y hacer lo imposible si puedes creer.

Cuando ya venimos de la incredulidad del mundo y ese dicho que dice «si no lo veo no lo creo».

Es más difícil para la carne, pero en la oración hasta la carne tiene que obedecer.

Porque déjame decirte que es difícil doblegar a la carne para orar, sobre todo en la mañana, cuando la cama está rica y hay que levantarse a orar, o en la madrugada, cuando Dios te dice: «Levántate». Ganarle al sueño es difícil, pero cuando comienzas a ver las respuestas a tus oraciones tu espíritu será más fuerte y tu carne será más obediente.

Cuando me dejé trabajar por Dios comencé a mirar cómo todas las piezas del rompecabezas se ponían en su lugar. Todo era de acuerdo con el ritmo en que yo avanzaba. La verdad, eso no lo entendía mucho, de haber sido así todo hubiera sido más rápido. Bueno, pero los tiempos de Dios son perfectos.

En la oración conoces a nuestro padre celestial. Es el que te formó. Aun antes de la fundación del mundo te hizo a su semejanza y te dio el soplo de vida.

Cada día Él te sostiene, te provee, te ama, te da paz, gozo. Él te espera cada mañana para tener la primera charla del día contigo. Él anhela escuchar tu voz, aunque no cantes bien tu alabanza, Él escucha como la mejor y más afinada melodía.

Nuestra oración es escuchada. Trata de que sea muy específica, pues es importante, y también que sea de acuerdo con la voluntad de Dios.

¿Sabes? Para Dios nuestra oración es muy importante, y no porque Él quiera que siempre estés ahí de rodillas y humillándote a Él como muchos dicen, sino porque en ese tiempo de oración y humillación realmente Él se da cuenta de qué tanto deseas lo que pides y qué tanto amas a quien pones en oración. Recuerda, sin que se convierta en un afán esa oración ni que sea algo que deseas solo por alimentar tu orgullo.

Pues dedicar ese tiempo donde podrías hacer mil cosas para pedir por otros es un gesto de amor.

Cuando lo haces por ti es el principio de conocer quién eres, quién hay ahí dentro de la mujer abandonada, despreciada, traicionada, rechazada, violentada, amargada, enojada, triste, dolida, desesperada, frustrada, confundida, o simplemente olvidada por ella misma es un acto de amor por ti.

Cuando lo haces por simplemente alabar, conocer, glorificar o agradecer a Dios es la más bella muestra de que tu corazón ama a Dios y es de acuerdo con el corazón de Dios.

Jesucristo nos dejó el ejemplo de la oración que agrada a Dios.

La mayoría por mucho tiempo la hemos repetido infinidad de veces, pero hay secretos ocultos en ella para que tu oración sea completa, eficaz, poderosa y cumpla con los deseos de DIOS para que tú recibas lo que deseas todo es por ti y para ti.

Tu oración siempre será escuchada. A veces tu respuesta tardará o no será como tú quieres, pero como te digo es porque papi sabe qué es lo mejor para ti. Por eso solo te dará lo mejor, lo perfecto. Si sabes entender sus tiempos y pedirle que te revele su voluntad, también es muy importante escuchar su voz para no estar afanado en lo que no es bueno para ti. Y tienes que pedir primero sabiduría, para valorar y cuidar lo que DIOS te entrega, de lo contrario sería como construir sobre la arena.

Recuerda que los pensamientos de Dios no son los nuestros ni sus caminos pues Él es sabio perfecto y te ama.

Así que, como dice la palabra:

> *Gozaos en la esperanza, sufridos en tribulación, constantes en la oración.*
>
> Rm 12:12

> *Por tanto, todo aquel que: pide se le da*
> *al que busca, encuentra*
> *el que llama, se le abrirá*
>
> Mt 7:8

## La oración es una necesidad de nosotras, pues es donde Dios nos da respuestas y guía

Pues si nosotros, siendo malos sabemos dar buenas dadivas a nuestros hijos, ¿cuánto más vuestro padre que está en el cielo dará buenas cosas a los que pidan? *Mt 7:11*

No olvides que la oración es la intimidad con Dios, es donde encuentras tu corazón, donde desnudas tu alma, y el cielo se abre a tu favor, es el alimento del espíritu que te sustenta en este mundo lleno de lobos rapaces disfrazados de ovejas. Sed, pues, prudentes como serpientes y sencillos como palomas.

Mt 10:16

Así que todas las cosas que quieres que los hombres hagan con vosotros, así también haced vosotros con ellos, porque esto es la ley y los profetas.

Mt 7:12

La oración debe ser en tu vida una necesidad diaria mañana, tarde y noche, para que en cada momento o circunstancia estés fortalecida en la fuerza del Señor. *Efesios 6:10*

**Hay varias clases de oración:**
*oración de amor:* que es por tan solo pasar un momento con papi
*oración de súplica:* cuando desbordas tu alma y clamas
*oración de gracias:* tu corazón agradece todo lo traído y el amor de cada día
*oración de intercesión:* vienes a pedir o clamar por un alma
*oración de fe:* debe ir acompañando a todas estas porque sin fe es imposible agradar a Dios

> *Por nada estéis afanosos, sino sean conocidas vuestras peticiones delante de Dios en toda oración y ruego, con acción de gracias.*
> Filis 4:6

> *Vestíos de toda la armadura de Dios, para estar firmes contra las acechanzas del diablo.*
> Efesios 6:11

Tu oración debe ser constante por cada cosa en tu vida, porque tu vida depende de tu oración, de la amistad con Dios, para que también todo lo tuyo comience a funcionar de acuerdo con la voluntad de Dios.

> *Clama a mí y yo te responderé, y te enseñaré cosas grandes y ocultas que tú no conoces.*
> Jeremías 33:3

Mi oración antes era así:

Señor, portavoz, cambia a todos haz algo con ellos, mira yo todo lo que hago. ¿Por qué él no cambia si yo te lo he pedido tantas veces? Y mira todo lo que yo dejo por ti y lo que yo los quiero.

Ahora es así...

Papito hermoso, transforma mi vida, mis pensamientos, lo que hago mal. Ayúdame a que sea una madre sabia, amorosa, y una buena persona que yo pueda dar de tu amor y que ellos puedan ver en mí, la nueva mujer que haces cada día y pueda ser luz, que mis hijos te conozcan y se vuelvan a ti, que te amen y todos te sirvamos. Te lo pido en el nombre poderoso de Jesucristo y portavoz. Perdónanos por todos los pecados que cometemos cada día y toda palabra ociosa que sale de nuestra boca. Cúbrenos con la sangre de Cristo y tu armadura, que tu luz nos rodee y tu poder nos proteja en cada paso. Llévanos de tu mano y nos sueltes nunca, que tu Espíritu Santo nos sustente con su amor y poder. En el nombre de Jesús. Amen.

Y así podemos llenar las hojas, pero recuerda que debe salir de tu corazón sincero y con amor hacia quien oras.

La oración retira de ti a tus enemigos confunde su mente, los retira de lo tuyo tu oración, es el cerco para los tuyos.

Hay cosas como el arrepentimiento, el perdón y la adoración que deberían estar siempre antes de tu oración, para que esta sea poderosa.

Eso nunca lo olvides, ya que el pecado es un derecho de legalidad que le regalamos al enemigo para estorbar nuestras oraciones. Todos pecamos, así que Dios en su gracia lo sabe y nos regaló el perdón genuino. Ese es uno de los ingredientes del jabón espiritual, ¿lo recuerdas?

Hay más armas de poder que más adelante veremos y también son muy importantes, como el ayuno, la obediencia, la misericordia, la palabra los frutos del espíritu y más.

> *Oye mi oración, oh, Jehová, y escucha mi clamor, no calles ante mis lágrimas. Porque forastera soy para ti y advenediza, como mis padres.*
>
> Salmos 39:12

¿Sabes? Antes yo le oraba a DIOS que quería muchas cosas, pero me sentía indigna porque algunas eran algo que no era una rápida necesidad. Entonces le decía: «Padre quiero esto y aquello. Pero hay personas que lo necesitan más que yo, dáselo a ellos».

Por eso todo lo que yo obtenía lo tenía por mis fuerzas, pero nada era duradero, todo como vino se fue. Sí, era bendición de Dios, pero no era pedido y recibido creyendo que Él es poderoso, y no lo da porque somos sus hijos y porque así es su gracia, pero la falta de identidad como hijas nos hace perder las bendiciones.

También al hacer eso yo estaba restándole poder a Dios, pues poderoso es Él para darnos en abundancia, mucho más de lo que podemos pedir.

A veces minimizamos el poder de Dios, por ignorancia de la palabra y de su poder, porque por falta de oración no se nos ha revelado cuán grande es.

Pero Él nos habla. El problema es que entendamos lo que nos dice. Mira, muy seguido yo abría la Biblia y lo primero que miraba era el verso 8 del Salmos 2, que dice:

Pídeme y te daré por herencia las naciones y como posesión tuya los confines de la tierra.

Y yo la verdad hasta me sentía mal y decía: «¿Pues qué le pido? Ay, no, ¿y si me está probando a ver qué tan ambiciosa o pedinche soy?».

Y así muchas veces, así que primero como Salomón le pedía sabiduría, nada tonta yo, después, comencé a pedirle para mis hijos y me seguía diciendo lo mismo: «Pídeme».

Hasta que un pastor un día dijo en una predicación el tema y nos explicó que eso mismo le pasaba a él, no tenía porque no pedía.

Hasta que empezó a pedir empezó a ver todo lo que el necesitaba y más.

Claro, también hay que aprender a dar pues la palabra. Dice: «Si en lo poco me fuiste fiel en lo mucho te pondré».

En mi caso ese siervo de Dios me dio palabra diciendo: «Dios te ha prosperado y lo hará más para que tú seas de bendición a otros».

Ahora he decidido pedir siempre mis anhelos antojos y sueños, pero también he aprendido a ser la bendición o la respuesta a una oración para alguien, yo creo que Dios, nos dará de acuerdo alto que podamos manejar sí que nos olvidemos de su propósito, así que si no eres millonaria es porque no lo sabrías manejar y sería tu ruina o la de tu familia, así que primero pide sabiduría para que después venga todo.

Yo no tengo mucho de hecho rento, pero al menos ya no tengo tantas deudas, aún soy media gastalona, amo viajar y sé que mi padre me irá previendo conforme yo vaya creciendo en él y su sabiduría.

Recuerda que un secreto para tener los deseos de tu corazón es:

> *Confía en Jehová y haz el bien, y habitaras en la tierra, y te apacentarás de la verdad. Deléitate así mismo en Jehová, y Él te considera las peticiones de tu corazón.*
>
> Salmos 37:3,4

Mira, si el salmista decía esto era porque realmente David sabía que de esa manera a él le había cumplido sus deseos.

Así como yo te digo que, si es cierto, a veces solo deseo algo tan sencillo como una comida, y de una manera u otra se me da o algo como lo que te platiqué de mis padres. Mira, un día mi hijo menor deseaba entrar a la policía en esa edad que sienten que todo lo pueden y se inscribió.

Pero sus pensamientos no eran muy justos contra los malos, así que yo oré y le pedí adiós que, si mi hijo, a quien yo le había entregado, al que el deseo que viniera a este mundo, se iba a corromper en ese mundo de maldad, no lo dejara entrar. Después de pasar todo, pues nada, no lo llamaban, así que él fue a ver y le dijeron que no que no sabían porque lo rechazaban simplemente.

Esto me costó que no me hablara algún tiempo pues él sabía que yo había orado.

Ya después se le olvidó y decidió estudiar para abogado y está mejor.

En otra ocasión mi hija se fue de parí con la camioneta, la cual no tenía todavía a seguranza ni papeles en regla. Le dije que no, ella dijo lo que todos: «Ya soy mayor de edad». «Okey», le dije. Me metí ama cierto y le dije: «Padre hermoso, en ti yo confió. Tengo que dormir. Tú dices que descansemos en ti, así que, ay, tú sabes con esta niña, no la dejes estar en ese lugar, que no es para ella».

Me dormí y al otro día que llego del trabajo me dijo: «¿Qué le pediste ayer a Dios?».

«¿Por qué?», le dije. Y ella me platicó que no se quedó en el antro, que algo la hizo que se saliera de ahí y fue a dejar a sus amigas. Allá la detuvo una patrulla, ella no tenía licencia.

Así que dijo: «Me van a llevar a la cárcel, mínimo me van a quitar la camioneta». Pues no, increíblemente a la madrugada sin licencia ni papeles, ni siquiera mordida le pidieron.

Pero fue una gran lección para ella, no solamente por lo que le pasó, sino porque ella pidió a Dios que los policías no le quitaran la camioneta, y no fue una sino dos patrullas después se encontró otra. Esto solo pasa cuando tú encomiendas a tus hijos en oración y los cubres con la sangre de Cristo.

Hay tantas anécdotas... En fin.

Espero que tú tengas muchas y sean concedidos los deseos de tu corazón, para que tengas testimonio del poder de la oración.

*Orad sin cesar, dad gracias en todo, porque esta es la voluntad de Dios para con vosotros en Cristo Jesús.*

1 Tesalonicenses 5: 17,18

*Todo lo que pidieres en oración, creyendo lo recibiréis,*

Mt 21:22

*Y todo lo que pidieres al Padre en mi nombre, lo hare, para que el padre sea glorificado en el hijo.*

Juan 14:13

Espero todo esto te sea de bendición y tu oración sea tu puente hacia nuestro padre y la puerta a tus bendiciones. Acuérdate que nuestro bello y poderoso Padre es el dueño del oro y la plata y de todo lo creado.

*¿Y tú crees en el poder de la oración? ¿Oras fervientemente? ¿Has visto tus oraciones contestadas? ¿Por qué? ¿ay ¿Algo acaso imposible para Dios?*

Génesis 18:14

# Oración para enamorarnos de orar

Alabad, oh alma mía, a Jehová.
Te exaltare, mi Dios, mi rey.
Bendito sea Jehová, mi roca.
Alabad a Jehová porque él es bueno.
Alabad a Jehová desde los cielos.
Todos nosotros, sus ejércitos, alabadle, sol y luna, lucientes estrellas y todo lo creado en la tierra.
Mirad cuán bueno y delicioso es habitar los hermanos juntos en armonía.
Acuérdate, oh, Jehová, de mí y de todas mis aflicciones.
Oh, Jehová, oye mi oración, escucha mis ruegos. Respóndeme por tu verdad, por tu justicia y no entres en juicio con tu siervo, porque no se justificará, delante de ti ningún ser humano.
Con mi voz clamare a Jehová, con mi voz pediré a Jehová misericordia.
Jehová a ti he clamado. Apresúrate a mi, escucha mi voz cuando te invocare.
Líbrame, oh, Jehová, del hombre malo. Guárdame de hombres violentos, los cuales maquinan males en el corazón.
Oh, Jehová, tú me has examinado y conocido, tú has conocido mi sentarme y mi levantarme; has entendido desde lejos mis pensamientos, has escudriñado mi andar y mi reposos.
Te alabaré con todo mi corazón. Alabad a Jehová porque él es bueno.
Jehová, no se ha envanecido mi corazón, ni mis ojos se enaltecieron.
Mucho me he angustiado desde mi juventud.
De lo profundo, oh, Jehová, a ti clamo, señor, oye mi voz. Estén atentos tus oídos a la voz de mi súplica.
En vano trabajan los que edifican la casa si Jehová no edificare la casa los que confían en Jehová son como el monte de Sion, que no se mueve, sino que permanece para siempre.

Primer versículo de los Salmos del 125 al 149

# El ayuno

*Ayuda a tu espíritu a fortalecerte y conectarte con Dios para ser uno solo como en el principio, no dejando que la carne te gane o da y ayuna y la victoria verás Como todas esta es una arma poderosa para destrucción de fortalezas, pero sobre todo te ayudará para hacer morir a tu carne y darte dominio y autoridad para desacerté de aquellas ataduras, carácter, vicios, costumbres y cualquier cosa que tenga dominio sobre ti, pues Dios nos puso como cabeza y no como cola.*

Mt 17:14,21

*Digo pues: andad en el espíritu y no satisfagáis los deseos de la carne, porque el espíritu es contra la carne.*

Gálatas 5:16,17

*Pero tú cuando ayunes unge tu cabeza y lava tu rostro para no mostrar a los hombres que ayunas*

Mt 6:17

## El ayuno

Es renunciar voluntariamente a los deleites de la carne que solo te alejan de Dios.

Es un puente para llegar a la presencia de Dios, humillarte delante de él con tu corazón contracto y tu espíritu fortalecido.

Es la mejor manera de tener dominio propio sobre tus emociones.

Es dejar a Dios todas las cadenas de impiedad que nos ataban y toda reacción inmediata.

Es el precio más humilde que puedes pagar por tu transformación para tener una nueva vida.

Es tener victoria sobre el molesto y destructivo yo.

Es un escalón más hacia ver en ti las promesas de Dios.

Cuando dedicas el tiempo de ayuno a tener intimidad con Dios junto con la oración y adoración, provocas que el cielo se abra a tu favor, así como que llegue a ti la revelación y respuestas buscadas.

Has lo que no has hecho y verás lo que no has visto.

Tu relación con el carácter de Cristo, su amistad y amor, así como el Espíritu Santo, te llevarán a cada día ser lo anhelado por Dios.

La amada hija, la princesa, real sacerdocio, mujer virtuosa, guerrera del señor, la niña de sus ojos,

qué hermosos son sus deseos para sus princesas
y qué triste que algunas vivíamos como esclavas.
Y cuando Él viene y nos libera lloramos por Egipto
sin valorar el verdadero amor.

Hay diferentes tipos de ayuno, alto largo de la historia las personas han buscado en el ayuno la fortaleza del espíritu, y tratando de agradar a Dios y encontrar una comunión una palabra una respuesta han utilizado diferentes, métodos para doblegar su carne o desatarse de conductas que no agradan a Dios.

## El ayuno en la Biblia

Uno de los ejemplos más usados es el ayuno de Daniel.

Lo puedes encontrar en el libro de Daniel, cap. 10. Este ayuno es por tres semanas y él dice que no se deleitó con nada de esos antojitos ni nada que fuera deleitoso, así como tampoco carne, ni vino, ni se ungió con ungüento, me imagino que es como ponerse cremas perfumadas, aceites, perfumes o esas cosas.

Dice que él tuvo respuesta en lo natural a las tres semanas del ayuno, pero en el mundo espiritual su respuesta ya estaba desde el día que él dispuso su corazón y su carne a Dios.

## Otro ayuno famoso es el de la reina Ester.

Este lo encontramos en el libro de Ester, cap. 4.

Este ayuno para mí es un ayuno urgente, pero a la vez un poco drástico.

Yo ya lo hice y te diré que en mi experiencia fue difícil, porque yo tenía que estar preparando alimentos en ese tiempo, pero tuve una fortaleza de Dios que la verdad me sorprendía.

Después de orar, leer la Biblia o compartir la palabra con alguien, sabes, yo eructaba como si acabara de comer un rico plato de comida, y pues ya sabes que cuando te propones ayunar no falta que se te atraviese mal puesto y de repente te lo comes sin darte cuenta.

Para evitar estas tentaciones, no dije en voz alta que ayunaría ni cuánto tiempo, pues tú sabes que hay quien te escucha y hace todo porque no lo hagas, y cuando no estás aún fortalecida en el espíritu es fácil que caigas o desistas.

Solo se lo dije a Dios en mi corazón y le dije: «Padre, mi intención es varios días, pero no quiero prometerte y luego no llegar así que te pido que me fortalezcas y me acompañes de tu mano no me sueltes y en ti esta mi confianza».

Y cada hora decía una hora más, y cada día un día más, y así fueron tres días, y la verdad sí pude ser liberada de muchas cosas.

Ha sido para mí el más fuerte porque fue sin agua también. Nada. Hice otro que también fue difícil, pero gané con este el dominio propio contra el pan y la gordura.

Este fue de 40 días, sin nada de pan ni cosa dulce, no crepas, no pastel, ¿te imaginas? Bueno, para mí fue difícil pues yo era adicta a los postres.

Hay quienes le entregan a DIOS el no tomar Coca-Cola, otros el Facebook, otros y muy común en la religión de nuestros padres es por un tiempo el vino o la cerveza

Pero hay un ayuno que le agrada más a Dios, es porque tiene que ver con la misericordia y el amor de del hombre a su prójimo, y eso realmente es algo que anhela Dios ver en todos los corazones de sus hijos principalmente.

Este es llamado:

el verdadero ayuno

*Isaías 58*

¿No es más bien el ayuno que yo escogí, ¿no es más bien que partas tu desatar las ligaduras de impiedad, pan con el hambriento y a los soltar las cargas de opresión, pobres errantes albergues en y dejar ir alas quebrantados, casa; que cuando veas al y que rompáis todo yugo? desnudo, lo cubras y no te escondas de tu hermano.

Lo mejor de todo, como siempre Dios no se cansa de querer lo mejor para nosotros, que hasta en los deberes nos premia con sus hermosas promesas.

Entonces nacerá tu luz como el alba y tu salvación se dejará ver pronto; e irá tu justicia delante de ti, y la gloria de Jehová será tu retaguardia.

Entonces invocarás y te oirá Jehová, clamarás, y dirá él: Heme aquí. si quitares de en medio de ti el dedo amenazador, y el hablar vanidad; y si dieras tu pan al hambriento, y saciares el alma del afligida, en las tinieblas nacerá tu luz, y tu obscuridad será como el mediodía».

¿Qué tal hemos papi? Pero sabes que en estos versos se encuentran muchos secretos de tesoros, tanto como el cielo como en la tierra espero te sean revelados medítalo

## Mi experiencia con el ayuno

Mira, realmente creo que cada uno de nosotros somos diferentes y únicos, y creo que así mismo a cada uno Dios nos revela una palabra de acuerdo con la necesidad que estemos teniendo o la conducta que él desea que sueltes.

Por eso es importante que, en los ayunos de comida, le pidas a Dios que te guíe, ora para que entiendas el propósito del que Dios te pida o si tu sientes la necesidad de hacerlo, que sea dirigida por el espíritu de Dios y no por hacer sacrificio o por afijar tu alma a la tristeza o a ser vista y menos para querer obligar a Dios para darte lo que quieres, como si fuera huelga de hambre.

Recuerda que lo único que Dios no rechaza es un espíritu quebrantado y un corazón contrito.

Él te conoce aún más que tú misma.

Yo he visto oraciones contestadas.

He aprendido a tener dominio propio todavía me falta, pero, ay, Dios me ha dirigido en este libro y me ha dado la sabiduría para hacerlo. He sido libre de muchas ataduras del alma, pero lo mejor es que Dios ha tratado con mi corazón y he encontrado la sanidad.

De mi corazón y mi alma pues él te lleva a su presencia. También me ha revelado las áreas donde aún me falta más cambio y las que no debo de hacer o decir, pues a veces Dios te dirá que es mejor el silencio.

Como te digo para cada uno es diferente lo que Dios te pide que le entregues confiando en que él te dirigirá y te sustentará, además tienes otros beneficios como: bajar el estómago y es por salud más que por belleza ya que tu cuerpo es el templo de Dios, imagínate ese templo, tienes viviendo a Dios ahí, hay que:

Limpiar tu organismo

Ahorrar comida

Gastar menos jijijiji

Es que yo soy muy comelona amo la comida, para mí es un deleite y un privilegio tener que llevar a tu boca, pues también muchas veces tuve que hacer ayuno obligatorio, y otras comer de la basura, por necesidad.

Pero mi Dios es grande y ahora ha multiplicado lo que un día me faltó.

# Oración para fortaleza en el ayuno

Padre celestial, tú que eres soberano, que tienes el dominio, sobre todo, que das y quitas, vengo con un corazón y mi alma así como mi mente, dispuestos a que tú los transformes a tu semejanza y con tu maravilloso y entrañable amor me guíes en cada decisión.

Así mismo te doy autoridad en mis emociones, carácter, sentimientos, pero sobre todo lo que yo no puedo dejar y que me separa de ti fortaléceme cuando soy débil. Escrito esta:

> *No solo de pan vive el hombre, sino de toda palabra que sale de la boca de Dios.*
>
> Mt 4:4

Ye pido que me fortalezcas con tu Espíritu Santo, y pagas la mente de Jesucristo en mi mente, para tener dominio propio y conquistar esta etapa de mi vida con la madurez que debo tener para enfrentar y confrontar cada suceso en mi vida, y la sabiduría para aprender y entender el propósito de ellos.

Deseo, padre, en el nombre poderoso de mi amado Jesús, que me permitas habitar en tu presencia, para que logre mi propósito en ti y pueda hacerlo con amor y devoción, a ti primero y a mi familia después.

Que mis oídos espirituales sean abiertos para escucharte y ser dirigida por ti y me des revelación de mi proceso, tanto como las respuestas y entendimiento de este, que ya no viva yo sino Cristo en mí y pueda yo adquirir autoridad, ser liberada y sanada, y así mismo pueda yo ayudar a otros a ir a ti.

En el nombre de Jesucristo, mi mejor consejero y abogado, te lo pido y te doy gracias porque sé que siempre me escuchas y me respondes.

Oh, Jehová, si tú eres mi luz y mi salvación de que quien temeré, cuando se junten contra mí los malignos, mis angustiadores y mis enemigos para comer mis carnes, que ellos tropiecen y caigan, en el nombre de Jesucristo te lo pido.

Oh jehová, levantaré mi alma. Dios mío, en ti confío.

Ciertamente ninguno de los que esperan en ti serán avergonzados.

Muéstrame, oh, Jehová, tus caminos te lo pido en el nombre de Jesús. *Salmos 27,25*

# La sabiduría

La mujer sabia edifica su casa,
la mujer necia la destruye.

La mujer sabia decidió ir a Dios,
la mujer necia lo ha despreciado.

La mujer sabia reconoce su error,
la mujer necia se justifica, no cree.

La mujer sabia ama a Dios, lo vea o no.
La mujer necia da la vuelta si no ve.

La mujer sabia ama como Dios.
La mujer necia no sabe amar.

La mujer sabia madura y sigue.
La mujer necia pierde en su necedad.

LA SABIDURIA se obtiene primero por la gracia de Dios y luego porque tomas la decisión de leer y escudriñar las escrituras.

> *Es para recibir el consejo de prudencia, justicia, juicio y equidad*
>
> Prov. 1:3

*El principio de la sabiduría es el temor de Jehová. Los insensatos desprecian la sabiduría y la enseñanza.*

Prov. 1:7

*Oye, hija mía, la instrucción de tu padre y no desprecies la dirección de tu madre.*

Prov. 1:8

*Bienaventurada la mujer que halla la sabiduría y que obtiene la inteligencia; porque su ganancia es mejor que la ganancia de la plata y sus frutos, más que el oro fino.*

Prov. 3:15

*La sabiduría es más preciosa que las piedras preciosas, y todo lo que puedas desear no se compara a ellos.*

Prov. 3:15

*Y si alguno de nosotros tiene falta de sabiduría, pídala adiós, el cual da a todos abundantemente y sin reproche y le será dada.*

Stg 1:5

*la mujer que teme a Jehová, esa será alabada*

Prov. 31:30

*Yo, la sabiduría, habito con la cordura y hallo la ciencia de los consejos.*

Prov. 8:12

La sabiduría es la fuente del saber.

saber cómo actuar en ocasiones difíciles
saber qué hacer frente a la tentación
saber qué agrada a Dios
saber qué tiene Dios para mí
saber quién soy para Dios
saber cuál es el poder de Jesucristo
saber que hay un tiempo para todo debajo del sol
saber que Jesucristo tiene un tiempo para todo
saber que en Él no hay mentira
saber que lo que Dios dijo se cumplirá
saber que si Dios contigo, quién contra ti
saber que los pensamientos de Dios son locura para el mundo
saber que no os acordéis de las cosas pasadas
saber que ni traigas a memoria las cosas antiguas
saber que he aquí Dios hace todo nuevo
saber que por el sacrificio en la cruz eres salva
saber que Jesucristo fue ese cordero en la cruz
saber que Él es el camino la verdad y la vida
saber que al recibirlo como señor y salvador
saber ya no vives tu sino Cristo en ti
saber que tienes la mente de Cristo y eres más que vencedora

Pues esta nos evitará cometer grandes errores en nuestra vida como:

pleitos
violencia
rechazo
tristeza
ofensas
desprecio
soberbia
odio
humillación
depresión

imprudencia e ignorancia

falta de respeto

heridas en el corazón
malentendidos
resentimiento
baja autoestima
muerte espiritual
orgullo tonto
separación
menosprecio
disensión

¡Qué cosas tan feas! Y pensar que muchas de estas las ocasionamos a los que más amamos por falta de sabiduría...

> *Dios dice: «Mi pueblo fue destruido porque le faltó conocimiento. Por cuanto desechaste el conocimiento, yo te echaré del sacerdocio; y porque olvidaste la ley de tu Dios también yo me olvidaré de tus hijos».*
>
> Oseas 4:6

Qué dura esta palabra... A veces no nos gusta escuchar corrección, pero Dios al que ama lo corrige.

La sabiduría es Padre, Jesucristo, Espíritu Santo.

Un solo Dios

**Dios padre** amor, misericordia, fe, esperanza.

**Jesucristo** libertad, sanidad, autoridad, vida y vida en abundancia, resurrección.

**Espíritu Santo** transforma, restaura, vivifica, unge, bautiza.

Desafortunadamente la mayoría de nosotros no somos instruidos por la palabra desde pequeños y crecemos viviendo de acuerdo con la enseñanza y tradiciones de nuestros padres y del mundo alrededor.

Sin sabiduría no solo nos perdemos de las bendiciones, sino que nuestra familia, que es también el pueblo de Dios, se estaba perdiendo. Y digo estaba porque ahora por fe y decisión somos sabias y sabremos edificar, dirigir, amar, con la sabiduría de Dios.

Escrito está:

> *La mujer virtuosa es corona de su marido, mas la mala como carcoma en sus huesos.*
>
> Prov. 12:4

Toma la decisión que cambiará tu vida, ser una mujer sabia, no solo por ti y tu familia, sino por todas aquellas almas que no han tenido las mismas oportunidades o simplemente han sido segadas por el enemigo, para que puedas ser luz en su ignorancia.

Lo más maravilloso de mi experiencia, o este nuevo inicio, como yo lo llamo, es haber aprendido y tomado la decisión de que en cada suceso hay algo que si no me destruyo me ha hecho más fuerte y me ha dejado una gran enseñanza, la cual aplicaré para futuras pruebas o situaciones en mi diario vivir.

Además, ahora tengo el privilegio de compartir una palabra de esperanza de Dios a personas que pasan algo como yo. Sé que aún soy bebé en la sabiduría de Dios, pero él me sustenta y me usa de acuerdo con lo que él sabe que puedo hacer y no por mí, sino por su poder y gracia.

Si DIOS lo ha hecho conmigo lo hará contigo.

Nunca dudes de darle a alguien la palabra que tú has aprendido o lo que Dios te ha revelado de acuerdo con su palabra, porque nunca sabes cómo cambiaría la vida de una persona la palabra de Dios.

Si una sonrisa o un abrazo puede cambiar el día de alguien, imagínate si van acompañados de una palabra de amor, fe, esperanza.

¿Sabes? Si de algo yo me arrepiento en mi vida es de no haber conocido a Cristo y su sabiduría, desde el tiempo que Dios me llamó, pues otra fuera mi historia, pues la ignorancia del orden de Dios me trajo mucho dolor.

El orden de Dios como sus pensamientos son locura para el mundo, ya que primero es tu corazón Dios, luego tu esposo, dispuestos tus hijos y tus papas después los demás.

Pero ese desorden nos alcanzó, junto con la ignorancia de toda su voluntad.

Jesús le dijo: «Amarás al señor tu Dios con todo tu corazón, y con toda tu alma y con toda tu mente». *Mt 22:37*

Las casadas estén sujetas a sus propios maridos, como al Señor,

porque el marido es cabeza de la mujer, así como Cristo es cabeza de la Iglesia, la cual es su cuerpo y Él es su salvador.

Así que, como la Iglesia está sujeta a Cristo, así también las casadas lo están a su marido en todo.

> *Maridos, amad a vuestras mujeres, así como Cristo amó a la Iglesia y se entregó a sí mismo por ella.*
>
> Efesios 5:22,25

Hay un dicho que un día alguien me dijo:
Si quieres ser la reina y lo primero para el rey de tu casa, el rey de tu casa tiene que sentir el respeto y el amor de la reina.

Al alcanzarnos el desorden todo se derrumbó. Dios ha tratado conmigo y ha hecho maravillas en mi vida, y aunque el padre de mis hijos ya no es mi esposo, deseo que un día Dios lo alcance y cambie su vida y sea salvo.

Cuando yo supe el orden de Dios, la verdad no coincidía con lo que a mí me enseñaron.

Me costó trabajo entender que primero está el esposo, pero después sí pensé que los hijos, al tener unos padres con un matrimonio sólido y lleno de la sabiduría de Dios, podrán a su vez ser buenos padres.

El matrimonio es el centro de la familia, si no hay los dos en la balanza muchas veces esta se inclina al lado equivocado, como en mi caso.

Al no estar presente mi padre, mi madre nos decía: «Ustedes deben ser fuertes, valientes y no dejar que nadie las maltrate o las quiera mandar y cosas así».

Así que nunca nadie me enseñó a dar su lugar a mi esposo y no es justificación, pues yo debo buscar.

Afortunadamente mi Jesús estuvo ahí en cada momento y está haciendo cosas nuevas.

Tu sabiduría es importante porque una gran mujer puede levantar a su esposo o destruirlo.

Recuerda que eres dadora de vida, y si como yo si te divorciaste aún puedes bendecir y orar por ese varón, a la manera de Dios, y verás su mano en él y en los que amas. Es tu decisión que quieras dar vida o muerte, declara con tu boca lo que quieres ver y créelo con tu corazón.

Recuerda, lo pasado, pasado es, no se puede cambiar. El futuro es incierto. Solo tienes hoy, vívelo.

En la sabiduría

He comprendido el porqué de los errores de mi vida y he obtenido sabiduría, pero lo más importante y que no tiene precio,

la restauración y el amor en mis hijos y mía.

Desafortunadamente la mayoría de nosotros no somos instruidos por la palabra de Dios desde pequeños y crecemos aprendiendo de lo que el mundo nos inculca.

Pero Dios nos ha dejado el mejor manual para que podamos encontrar la luz en la obscuridad

y estaba a tu alcance y de toda tu casa. Este es:

la Biblia

como esta en ti la sabiduría.

# Oración para adquirir sabiduría

Papito hermoso que estás en cielo, escucha esta oración, abre tu oído a mi clamor te lo pido con mi corazón,

Señor, tú nos has sido refugio de generación en generación, antes que naciesen los montes y formases la tierra y el mundo, desde el siglo y hasta el siglo tú eres Dios. *Salmos 90*

Enséñanos de tal modo a contar nuestros días que traigamos al corazón sabiduría.

Muéstrame, oh, Jehová, tus caminos.

Enséñame tus sendas, encamíname en tu verdad y enséñame, porque tú eres el Dios de mi salvación.

Padre, tu palabra dice que tú das sabiduría, abundantemente y sin reproche. *Stg 1:5*

Dámela, ama, Señor, por favor en el nombre de Jesucristo, tu hijo amado, nuestro amigo y abogado, rey santo y consejero.

Los pensamientos con el consejo se ordenan *Salmos 20:18* y con dirección sabia se hace la guerra.

Que sea tu consejo y sabiduría mi dirección en esta guerra.

Sé que si tú conmigo nadie contra mí, que de mi boca solo palabras llenas de sabiduría y vida salgan cada día. Gracias, mi padre sabio.

# La Biblia

Es el más grande tesoro dado a la humanidad en un manual que solo es revelado a los que buscan la verdad

Solo el Espíritu Santo te lo puede revelar. Jesucristo es su más bello personaje, conócelo y tu vida cambiará.

Se dice que Moisés fue el primero en escribir ordenado por DIOS, en el Pentateuco o Torá podemos encontrar todas las leyes dadas por DIOS a Moisés y por grandes hombres, quienes fueron guiados por el espíritu de DIOS a lo largo de 1500 años, en los que recopilaron estos textos.

La misma Biblia dice que fue inspirada por Dios, útil para enseñar, para redargüir, para corregir, para instruir en justicia.

*2 Timoteo 3:16*

La Biblia es una recopilación de textos que en un principio eran documentos separados, llamados papiros.

Los escribieron grandes hombres escogidos por DIOS, que fueron profetas, reyes, guerreros, campesinos y hasta sacerdotes judíos.

La Biblia
contiene 66 libros,
39 en el Antiguo Testamento y
27 del Nuevo Testamento.
En ella hay 1563 capítulos,
divide la historia en dos partes,

antes de Cristo fue escrita en arameo y hebreo y después de Cristo fue escrito en griego.

Se ha traducido en 2092 lenguas aproximadamente.
Es el libro más vendido
Es el libro más robado.
Es el libro más atacado.
Es el libro más leído.
Es el libro más prohibido.
Es una joya literaria.
Es el libro con la más grande sabiduría.
Es el libro que puede transformar una vida,
qué privilegio que sea la tuya.
Afortunadamente en nuestro país tenemos la libertad
de leerla y compartirla,
pero hay muchos donde está prohibido
y muchos son muertos por compartirla.

La Biblia es considerada la mente de Dios,
el camino a la salvación,
el instructivo y gozo del creyente,
el más divino de los libros.
Su palabra es inmutable;
sus historias, reales;
sus enseñanzas, extraordinarias.
Su palabra es viva y eficaz.
Redarguye y transforma tu vida.

**Léela** para tener sabiduría.
**Créela** para ser salvo.
**Practícala** para ser mejor cada día.
**Compártela:** para dar frutos y esperanza.
**La Biblia** contiene

alimento para: fortalecer el espíritu

alimento para: el alma
palabras para: consolarnos
luz para: dirigirnos en la obscuridad
salvación para: los pecadores
mapas para: los perdidos
la verdad para: los confundidos
la libertad para: los presos
la vista para: los ciegos
sanación para: los enfermos
paz para: los oprimidos y afligidos
y una nueva vida para los valientes decididos
y muchos muchos secretos escondidos
que solo son para los hijos.
Con todo esto sabrás quién eres, pues lo mejor es que conocerás tu verdadera identidad
y la de tu padre celestial.
Te da fe, te da amor, te da esperanza y victoria,
cuando ya no vives tú, sino Cristo en ti.

¿A dónde me iré de tu espíritu?

¿Y a dónde huire de tu presencia?

Si subiere a los cielos ahí estás tú.

Y si en el cielo hiciere mi estrado, he aquí, allí tú estás.

## La Biblia para mí es:

La mejor carta de amor, que jamás se ha escrito.
Un cofre de tesoros de invaluable valor.
Mi compañera a donde voy, porque así siempre podre dar una palabra al que siente aflicción.
Para mí fue mi mejor doctor, la más poderosa medicina para quitar el gran dolor que creí que era lo último de mi vida.

Cuando ya no había más porque vivir ella me dio el más bello motivo para seguir.
Dar libertad al cautivo y ser luz para aquellas que como yo el corazón se les marchitó.
Creo que el amor es la medicina de este mundo, la cual evitaría la destrucción.
Sus historias han dado a mi vida esperanza y después, al contarlas, ministran también otros corazones, y es cuando he comprobado que realmente su palabra es viva.
Ahora cada verso, cada palabra, cada letra va cambiando mi vida. Solo te puedo decir que es lo mejor de lo mejor. Pero recuerda que algo muy importante para tener una mejor sabiduría es pedir a Dios y tú misma en lo que puedas hacer es transformar tu mente de acuerdo con la mente de Dios, es desechar todo pensamiento negativo o de pecado.

# Oración para el entendimiento de la Biblia

Padre santo, sabio, perfecto y amoroso, esta es tu palabra, la cual has dejado para que yo sea una mujer sabia y entendida.

Escríbela en las tablas de mi corazón y que nunca sea borrada de mi mente, que tú la traigas a mis pensamientos para que de mi boca solo salga vida y esperanza.

Tú eres mi roca y mi castillo, y tu palabra, mi espada para defenderme de las acechanzas del malo.

Tú mi Jesucristo se mi consejero y el espíritu de Dios mi guía no me dejen en todos los días de mi vida.

Que mi fe crezca más y más cada día que me deleito en tu palabra, pues escrito esta:

*La fe viene por el oír y oír la palabra de Dios.*

Rom 10:17

En el nombre de Jesús, tu hijo amado, te lo pido, padre y gran clamor, pues ya no quiero ser igual, y que tu Espíritu Santo quite de mi mente toda distracción y malos pensamientos y sea todo ese lugar lleno de tu palabra.

Gracias, padre, porque siempre me escuchas y me atiendes.

Te admiro en tu sabiduría, eres el mejor. Sé que harás de mí una gran princesa y guerrera.

Para ti sea la gloria y todo el honor.

## Poema a Jesucristo

Eres tú mi padre Jesús,
quien por mí murió en esa cruz.
La salvación me regalaste y tu amor.
Eres tú quien nunca sea olvidado de mí.

Eres tú, Jesús, la luz que me ilumina.
Cuando hay tinieblas ante mí
mis caminos y veredas enderezas.
Cada día para llegar junto a ti

Eres tú, Jesús admirable,
mi lucha. Es fuerte, pero tú,
mi padre eterno, vas delante de mí
abriendo los cielos para verte ahí.

Eres tú mi Jesús santo santo,
quien llena mi vida de salud.
Eres tú el aire que respiro en mi nariz,
el sol de las mañanas, ese eres tú.

Eres tu mi Jesús, mi Cristo,
mi hermano, mi amigo eres tú.
Aunque en valle de muerte me encuentre
no temeré, pues sé que yo de tu mano iré.

Eres tú mi Jesús, mi amado tú
y yo tu amada soy. Me has llamado
hermosa y mi estima dices es más
que el de una joya preciosa.
A ti sea la gloria, el honor y mi amor.

# La obediencia

*Cuando obedezco a Dios llamada soy mujer virtuosa, quien la hallará, porque su estima sobrepasa largamente a las piedras preciosas. La mujer que teme a Jehová, esa será alabada.*

Prov. 31:30

Si te das cuenta, Dios es tan perfecto y amoroso y nos tiene en tanta estima que primero nos recoge de donde el pecado y el mundo nos tienen, y después nos limpia con su misericordia. Nos enseña quién es el, qué somos para él, o sea, nos da una nueva identidad.

En ese proceso nos damos cuenta de quién somos y de que somos capaces de hacer lo que nunca imaginamos.

Aprendemos a amarnos, a consentirnos, a amar como ama Dios.

Y después nos da un camino por el cual seguir.

Es ahí donde muchos se vuelven atrás, pues no les agrada obedecer.

Pero si realmente fuiste sincera y te enamoraste de ese maravilloso ser llamado Jesucristo, obedecer es un placer, ya no lo haces por temor sino por amor.

Realmente Dios considera todo esto en una bella mujer, por eso la llama mujer virtuosa, y no solamente con Dios, sino con todos debemos ser así.

El corazón de su marido está en ella confiado y no carecerá de ganancia.

¿Algún día le has preguntado o preguntaste a tu esposo si su corazón estaba o está confiado en ti (claro, si lo tienes)?

Fuerza y honor son su vestidura y se ríe de lo porvenir porque su confianza está en Dios.

Abre su boca con sabiduría y la ley de clemencia está en su lengua.

Guau... Como verás esto nos contesta muchas preguntas de por qué

Jesús enseñó en su doctrina que obedecer a Dios es una puerta al reino de los cielos.

*Él dijo: «No todo el que me llama Señor entrará al reino de los cielos, sino el que hace la voluntad de mi padre que está en los cielos».*

Mt 7:21 y Prov. 31

Al obedecer a DIOS no solo serás bendecida tú sino también tu casa,

*porque así como por la desobediencia de un hombre, los muchos fueron pecadores, así por la obediencia de uno los muchos serán constituidos justos.*

RM 5:17

*Habiendo purificado vuestras almas por la obediencia, a la verdad, mediante el espíritu, para el amor fraternal no fingido, amaos unos a otros entrañablemente, de corazón puro.*

1 Pedro 1:22

## La obediencia

Es una actitud necesaria para edificarnos como las hijas, princesas de Dios, que él desea.

He aprendido que cuando logras obedecer la palabra de Dios, no es por tus fuerzas sino por las de Él.

Mi papi me llamó durante mucho tiempo, durante muchos años fui cristiana según yo, pero ni siquiera me imaginaba lo que era tener intimidad con Dios, y creo aún no he llegado a una como la que Él quisiera tener.

Esa seguridad de que eres hija y de que Él va contigo a donde quiera que vayas realmente es como caminar y sentirte la niña de papi, que el mundo es tuyo.

La verdad, no tengo nada material, pero me siento como si fuera millonaria, bueno, lo soy, mi papi es el dueño del oro y la plata.

Y nada me faltará y nada es nada.

Haber obedecido desde el principio me hubiera ahorrado muchas tristezas.

Yo sé que Él, mi papi, quiso evitarme ese dolor y las malas experiencias, pero por desobedientes a veces Dios tiene que dejarnos tropezar para pasar por el desierto y ser transformadas como hijas de Dios, de otra manera seguimos en la esclavitud.

Y no entendemos claramente el porqué de los afanes, sueños, deudas, fracasos, temores, traumas, malas experiencias y el dolor.

Estos son los responsables de tapar nuestros ojos, cerrarnos los oídos, quitar nuestro tiempo, nos turban la mente y nos separamos de Dios, todo causado por la desobediencia a los padres terrenales y al padre en el cielo.

Pero nunca es tarde. Para mí este proceso fue lo mejor de mi vida, pues ahora tengo una nueva identidad y la oportunidad de comenzar una vida nueva en la cual Jesús será la piedra angular de mi familia y ministerio.

Obedecer me enseñó que hay un tiempo para todo

hay tiempo de nacer y tiempo de morir
tiempo amar y tiempo de aborrecer
tiempo de guerra y tiempo de paz
tiempo de llorar y tiempo de reír
tiempo de endechar y tiempo de bailar
tiempo de plantar y tiempo de disfrutar los frutos
tiempo de abrazar y tiempo de abstenerse de abrazar
tiempo de buscar y tiempo de perder
tiempo de callar y tiempo de hablar
tiempo de esparcir piedras y tiempo de recoger piedras
tiempo de guardar y tiempo de desechar
tiempo de matar y tiempo de curar
tiempo de destruir y tiempo de edificar

La verdad sí es cierto y es bueno dar el tiempo a DIOS de hacer en nosotros y en los demás lo que él sabe que necesitamos.

Muchas veces no obedecí a Dios porque a mi carne no le gustaba reconocer que lo que Dios me decía que hiciera me alejaría de los deleites del mundo o de las cosas que yo deseaba hacer.

Pero esto hizo que mi paso por el desierto durara más tiempo y la espera fuera más desesperante y frustrante.

Por ejemplo, al principio de mi proceso una sierva de Dios orando por mí dijo: «Dice el Señor que Él tiene el control, que no muevas un dedo».

Pero ni siquiera me detuve a pensar detenidamente qué significaba eso, y me aferraba a algo que ya se había terminado.

Pero lo único que lograba era que él no me valorara ni me quisiera ver, pues muchas veces terminábamos discutiendo, y cuanto más le decía la verdad de la mujer el más se aferraba a ella, y yo solo me convertía en su dama de compañía o su alfombra. Cuando recibía desprecio de su parte mi corazón se volvía a romper y era un círculo vicioso, así como el pueblo de Israel solo caminaba en círculos, quejándome, desobedeciendo y queriendo ayudar a Dios, y dentro de todo lo que avanzaba espiritualmente y me levantaba con proyectos, con alegría. «Solo tenía el que decirme ya no te amo, no te hagas ilusiones, ya no te veo como esposa y no solo a mí sino a otras personas, las cuales eran usadas por el enemigo para, como el apagarme por completo.

Hasta que un día fui con Dios y le dije: «Padre, ¿por qué si me amas tanto permites que este hombre me humille y me trate así?».

Mi padre me contestó: ¿Yo? No, eso lo has permitido tú». Y sí, realmente Dios solo me dijo que reconociera mis pecados, que me arrepintiera, que tuviera un espíritu afable y apacible, que pidiera perdón, pero nunca que rogara, que suplicara, que me aferrara, ni que fuera e hiciera cosas que nadie me pidió. Todo esto era producto de las mentiras en mi falsa identidad, de la necesidad de ser amada y de las emociones desequilibradas, pero más que nada de la desobediencia a lo que Dios me dijo al principio.

De todo corazón deseo que como yo entiendas con mi error y que comprendas la importancia de apuntar y leer cada instrucción que Dios te da, pues lo que Él tiene para ti después es hermoso.

Después escuché esto: «Hasta cuando me lo dejaras en mi mano ya suéltalo. Yo soy Dios». Ese día según yo decidí obedecer y si lo solté por un tiempo, pero de nuevo aprovechaba toda oportunidad para estar cerca y convencerlo de regresar.

Hasta que un día deberás abrir los ojos y se lo dejé al señor para que el tratara con su vida y comencé a seguir otra vez con la mía y con los proyectos de Dios como es este manual. Ya fue cuando nos divorciamos, pues seguía en el adulterio y los vicios, y ahora sí era probada mi fe y la obediencia a los deseos de Dios de dar su palabra.

La verdad, me sentía derrotad, y juzgada, pero hablando con papi me hizo entender que era él quien había comenzado a abrir mis ojos, y de ahí todo comenzó a cambiar, me sentí libre y fue quitada una gran carga de mí, que yo misma puse.

Otra cosa que retrasó mucho mi salida del desierto y trajo mucho dolor a mi vida fue no haberme dado el tiempo para asimilar todo y dejar a Dios sanarme, por el afán de la restauración del matrimonio. Y no con esto digo que Dios no restaura matrimonios, claro que sí y lo he visto, y si es la voluntad de Dios así será restaurado cada matrimonio.

Sé que muchas personas no creen en que alguien te puede dar palabra de Dios, pero en serio que a veces solo le ha faltado a Dios venir frente a mí y decirme: «¿Por qué no entiendes? ¿Por qué dudas? ¿Por qué no te rindes? ¿Acaso crees poder hacer las cosas mejor que yo?

La verdad sí, seguí orando por ese varón. En ese tiempo fue más por temor de Dios que por querer orar por él y por mis hijos.

Estaba muy dolida y dentro de mí había cierto resentimiento y tristeza que volvía a nacer.

Pero cuando Dios me dio la oportunidad de conocer la revelación de su amor y que yo también llené de cargas su vida y su corazón herido, comencé a orar por él de otra manera, por amor al hombre que como yo también es imperfecto y trae heridas desde la niñez.

Y además compartió su vida y casi todos los años de nuestro matrimonio, fui todo en su vida. Bueno, creo, la verdad ahora ya lo dudo. Hubo muchos muchos momentos hermosos entre nosotros, pero él un día decidió traicionar ese matrimonio y al divorciarme. Pregunté qué pasó con ese pacto que hicimos en el altar, pues el enemigo cada vez que oraba por él me recordaba que me divorcié, y que ya no tenía autoridad para orar, por él y que ya no era mi esposo, pero podemos orar por el alma perdida.

En este proceso encontrarás aun a personas de Dios duras de corazón y que te dirán: «Ya olvídalo y sigue tu vida, que no te importe lo que le pase». ¿Te imaginas si Dios pensara así, cuando estaba buscándonos o Jesús cuando estaba siendo golpeado? Él fue obediente hasta la cruz, aun sabiendo ya lo doloroso que sería.

Hoy estos y muchos valores se han olvidado e invalidado, aun por los que se suponen aman a Dios, pero aun ellos son presa de las heridas y el dolor no sanado, por eso tú solo espera y busca en

Jesucristo, solo Él te dará la respuesta. Dios tiene una guía específica para ti, el hombre te guiará de acuerdo con su vida y forma de pensar.

Pelea por ese matrimonio si él también está dispuesto y arrepentido, date la oportunidad de la restauración; si no pues ora para que Dios te dé sabiduría en tus decisiones, pero nunca te pongas de alfombra.

Para Dios eres la niña de sus ojos, date ese valor y escucha su dirección y solo siguela.

## Solo Dios tiene el poder para tu situación cambiar, no lo olvides.

Y muchas historias hay, pero sabes yo creo que lo mejor es que pruebes obedecer a Dios, entonces tendrás el mejor testimonio de obediencia y verás lo que anhelas. Ahí Dios puso las circunstancias para que yo estudiara el verdadero amor de un hijo verdadero, que es amar a tu enemigo y si tiene hambre dale de comer y si tiene sed dale de beber, pues haciendo esto ascuas de fuego amontonarás sobre su cabeza Dios sabia el tiempo en que mi corazón estaba sano.

Mi orgullo y soberbia eran demasiado fuertes en mí y solo el enemigo los disfrazaba con la dignidad, pero realmente Dios conoce tu corazón y él sabe que, como dice su palabra, el hierro afila al hierro y el hombre al hombre.

En lugar de quejarte, voltea al cielo y mira la pequeña nube que te anuncia que ya pronto se terminara la sequía, pero recuerda identificar que está obstaculizando tu lluvia.

La obediencia es fe. Aunque lo que PAPI te pida parezca loco hazlo porque Él tiene la sabiduría y conoce el futuro.

Recuerda: lo que viene de Dios te da paz y alegría, descanso; lo que no te trae tristeza y pesar y más cargas.

Ahora tengo la seguridad de que mientras que permanezca y sea obediente veré las maravillas de Dios a todo mi alrededor.

Y lo mejor es que ya no tengo que estresarme ni cansarme, ahora todo viene de Él y en su tiempo yo solo me deleito en Él y trato cada día agradar y glorificar a mi Jesús para agradecer la obediencia que Él sí tuvo y hasta la cruz para salvarnos y perdonar nuestros pecados.

Y tú, ¿has sido obediente?

# Oración para ser obediente

Amado padre, tú que eres soberano rey de reyes y señor de señores, en este día que me has regalado yo te pido con todo mi corazón que pongas en mí el querer como el hacer, de ser más obediente y entendida a tu voluntad, conforme a la multitud de tus piedades. Borra mis rebeliones, lávame más y más de mi maldad y desobediencia, dame tu sabiduría para saber y entender qué deseas que yo haga.

Pues no quiero desobedecerte o hacer y decir cosas que no me mandaste, en el poderoso nombre de Jesús te lo pido. Ahora abre mis ojos y mi mente porque deseo ser una mujer virtuosa y entendida. Que tus estatutos vengan a mi mente por tu palabra y la revelación de tu espíritu para permanecer en ti y tu voluntad.

Haciendo sonreír tu corazón y portavoz nunca me sueltes de tu mano ni permitas que me olvide de agradecer tus maravillas.

Gracias, padre, te doy en el nombre de Jesucristo nuestro señor y salvador, quien fue obediente hasta la muerte y muerte de cruz, siendo así perfecto y sin mancha para ser una inspiración y ejemplo a todos tus hijos.

Gracias por eso, siempre has estado ahí aun en los momentos donde ni siquiera te tomé en cuenta porque tú eres fiel, haz bien a tu sierva, que viva y guarde tu palabra, abre mis ojos y veré maravillas.

Gracias por estas promesas que me diste, las cuales sé que fueron las primeras y más importantes de obedecer, aunque no las obedecí ni creí en un principio. Hoy sé que tú eres fiel y que a tu tiempo y en cuanto yo haya entendido y aprendido lo que esta gran prueba me vino a enseñar.

Gracias, padre, por inclinar tu oído a mí y no por merecerlo, sino por tu gracia y misericordia, es que aún estoy aquí en la buena batalla de la fe.

Gracias en el nombre de Jesús. *Lee Salmos 119*, haz oración con Él

DIOS dice que predicarás la palabra del Señor en febrero 2016.

Este fue al principio mi proceso, en un cafecito DIOS me reveló predicando en visión.

El Señor recompense tu obra y tu remuneración sea cumplida de parte de DIOS, el señor de Israel.

Esta fue en un encuentro el 28 de mayo del 2016 y si poco a poco DIOS, mi padre hermoso, me ha ido remunerando todo, conforme he ido madurando espiritualmente.

# Frutos del espíritu

amor bondad fe

paciencia templanza

mansedumbre gozo

benignidad paz

entendimiento ayuda prudencia arrepentimiento
misericordia dominio propio revelación de DIOS
comprensión ternura sabiduría
perdón cuidado tiempo de calidad
responsabilidad amabilidad elogio
gracia favor descanso
alegría tranquilidad obediencia

*La blanda respuesta quita la ira, mas la palabra áspera hace subir el furor.*

Prov 15:1

## Los deseos de la carne

Relaciones sexuales fuera del matrimonio.
dolor, rechazo, traición.

## Fornicación

Relaciones sexuales con novios o prostitutas.

Adulterio

Tener relaciones extramaritales.

Desear a alguien que no es tu esposo.

Inmundicia

Indecencia en tu mente y corazón.

Lascivia

Deseos desmedidos de la sexualidad, pornografía, masturbación, homosexualidad, pedofilia y otros.

Idolatría

Todo lo que pones antes que a Dios.

Adoración a otros Dioses hechos por diversas índoles

Hechicerías

Adivinación, horóscopos, hechizos de el hombre.

enemistades, pleitos, celos, iras, contiendas, disensiones, herejías, envidias, homicidios, borracheras, orgias y cosas semejantes a estas acerca de las cuales os amonesto

*Gálatas 5:19*

coraje menosprecio palabras de maldición
baja autoestima falta de perdón insultos
manipulación mentira soberbia chisme
robo calumnia desatención abandono

## Los frutos del espíritu y los deseos de la carne

Estos te serán de mucha ayuda en tu crecimiento espiritual, ya que si los memorizas y entiendes podrás distinguir entre lo que es de Dios y lo que no en todos los momentos y procesos de tu vida, así como en las palabras que dan ata los demás y aquellas voces internas que son con las que mayormente hay que tener cuidado, pues nos causan confusión.

Como venimos del mundo natural no creemos que Dios nos habla y creemos que solo son pensamientos, pero escrito esta:

> *Mis ovejas oyen mi voz y yo las conozco y me siguen.*
>
> Juan 10:27

Pero así como Jesús nos habla también el enemigo y muchas veces se disfraza de ángel de luz y logra confundirnos, nos envuelve el veneno en chocolate, pues hay líneas muy delgadas para pasar del bien al mal.

| | |
|---|---|
| dignidad | orgullo |
| someterse | esclavitud |
| relación con Dios | religiosidad |
| pensar por los demás | ser oprimidos |
| amarte | vanidad |
| misericordia | lástima |
| deseo de algo | avaricia |
| dedicación | afán |
| deseo de ayudar | frustración |
| preocupación | incredulidad |

El enemigo conoce nuestros más íntimos secretos y deseos, y no porque sea como DIOS, sino porque no tiene otra cosa que hacer que analizarnos y acecharnos. Él escucha todo lo que hablamos y sobre todo cuando prometemos hacer algo bueno o prometemos algo a Dios trata de no prometer, pues no sabemos si mañana estaremos y no sabemos si podremos.

Mejor haz lo que quieras hacer para alégralo, igual Dios conoce tus pensamientos y toda palabra antes de que la digas.

Si no terminamos por la ignorancia y la incredulidad cayendo en las trampas del enemigo.

Este hace que entres en una zona de confort de acuerdo con las necesidades de cada uno, haciendo que te alejes de Dios y dejes de pelear por todo lo que Él tiene para ti.

Si no está en los pensamientos de Él, no es de Dios.

> *Y amarás al señor tu Dios con todo tu corazón, con toda tu alma y con toda tu mente, este es el principal mandamiento.*
>
> Marcos 12:30

Los frutos del espíritu son aquellos pensamientos de Dios, lo que el anhela que sea nuestro pan de cada día.

Cuando logres que vivan en ti realmente tendrás una relación fuerte con tu creador, así que es muy importante que todos los días comas de ellos.

Porque, como ya te he dicho, todo será probado, a ver si en verdad ya lo has aprendido. Así que mentaliza que todo lo que tú digas ya aprendí o entendí será probado. Es algo así como la escuela: no puedes pasar de grado si no has pasado el examen, y se te repetirá la prueba hasta que esta haya logrado en ti el propósito al que la mandó, así que si te das cuenta de que vives la misma prueba y ves que no avanzas. Tómate el tiempo de sentarte con DIOS, a hablar con Él para que te revele que te falta o que quería el que aprendieras de eso, y recuerda muy bien que ya eres una princesa una hija del rey y como la realeza, debe ser tu comportamiento.

Si no sabes cómo es investígalo, te hará falta.

Y por lo tanto sabemos que tu proceso y tu crecimiento espiritual determina tus frutos, así que cuanto más tomas del fertilizante de la palabra mayores frutos darás para todos los que te aman y amas, y entonces por tus frutos vendrán al Señor sin que tengas que obligarlos.

El tiempo del proceso depende de ti, solo de ti.

Recuerda que el pueblo de Israel tardó dando vueltas en el desierto 40 años cuando el recorrido sin vueltas era de aproximadamente 11 días, ¡guauuuuuu!

Qué cosa, ¿verdad? Cuánto tiempo perdido. Dicen que el tiempo no regresa y a nadie espera. Él no tiene paciencia ni lo puedes sobornar. Él solo cumple con su trabajo, que es hacer que todo pase y que todo venga. Bueno, la verdad, DIOS si te puede regresar todo lo que la vida te robó. Yo lo he visto tan solo en mí soy más joven y bella que cuando tenía 10 años menos. Ay, perdón por la sencillez, pero en verdad Dios es poderoso, es Jehová de los ejércitos.

No seas como ese pueblo que eran tan amados por Él pero muy, incrédulos, quejones, tragones, y lo peor, idólatras.

Estas pequeñeces, que así las llama el mundo de hoy, hicieron que muchos ni siquiera llegaran a la tierra prometida. Tú que dices quieres llegar a ver la tierra que Dios tiene para ti, y no solo por tu milagro sino por la eternidad, o te quedarás imaginando como hubiera sido por no ser valiente, esforzada, pero sobre todo muy dispuesta para permanecer, creyendo.

No es fácil como ya te dije, yo fui como el pueblo de Israel 3 años, y me arrepiento, pero el tiempo pasó por yo no detenerme a tener tiempo de meditar realmente qué y cómo iba, solo actuaba por impulsos y por lo que veía solo desgastándome queriendo hacer su trabajo, hasta que tuve que entender que el poderoso es papi y que, sin una profunda fe, amor, humildad, obediencia, sabiduría, prudencia, un gran esfuerzo y dedicación a dejarme ser cambiada por el orar, ayunar, creer, agradecer, adorar, no estaría ni siquiera escribiendo este manual de mi testimonio.

Todas estas que te acabo de mencionar como ya sabes son las armas más poderosas que hay para derrotar al enemigo. Bueno, de hecho Él ya está derrotado, en la cruz, pero la que es superpoderosa (porque siempre hay una superpoderosa) es la relación profunda que tengas con Jesucristo y la palabra de Dios. Esta es la espada que debes usar para cortar atravesar lazos, cadenas, yugos y derribar fortalezas de maldad diariamente, la tienes que afilar. ¿Cómo? Escudriñándola y llamándote de los frutos de Dios.

Y por supuesto con la ayuda de los frutos del espíritu en ti creciendo cada día tendrás más poder, autoridad y sabiduría para la victoria de las batallas que te toca a ti luchar, porque recuerda que no todas las peleas son tuyas.

Las más fuertes son del poderoso de Israel, el gran «yo soy el rey de reyes y señor de señores», Jesucristo, nuestro salvador.

O como diría Jesucristo, toma tu lecho y anda.

Una de las batallas que a ti te tocan pelear es esta, sacar de ti

## al mundo al diablo y a la carne

Qué fuerte se escucha eso, ¿verdad? Pues sí, pero cuando logres hacerlo habrás vencido una gran batalla y Jesucristo te hará pescador de hombres.

> *Deléitate asimismo en Jehová y él te concederá los deseos de tu corazón.*
>
> Salmos 37: 4

Las pruebas ganadas te mantendrán firme en la fe en Cristo Jesús, aunque no veas lo que quieres.

> *Ten fe, porque siempre Dios tiene lo mejor para ti; porque si vosotros, siendo malos, sabéis dar buenas dadivas a nuestros hijos, ¿cuánto más el Padre, que es bueno y está en el cielo dará buenas cosas a los que le piden?*
>
> Mt 7:11

Acuérdate de que aún los discípulos que conocían a Jesús cuando estaban en medio de la tormenta. Tuvieron miedo y dudaron muchas veces como cuando tenían que alimentar a muchos con dos panes y 5 peces, o cuando dejaron a Jesús al verse en peligro, cuando lo arrestaron para crucificarlo. Hasta Pedro, que a él le dijo que sería la piedra donde edificaría su iglesia, lo negó 3 veces.

Yo creo que sí, ellos sabían que él era Jesucristo, el mesías, pero no lo conocían realmente y el poder que el padre le dio hasta que vino el espíritu de Dios sobre ellos, hace que cuanto más te alimentes de los frutos del espíritu más conocerás a Jesucristo, y la fe irá creciendo en ti cada día como la semilla de mostaza, y sin que te des cuenta habrás encontrado el reino de Dios y su justicia. Entonces todo lo que DIOS tiene para ti vendrá por añadidura y así el mismo diablo que Jesucristo lo reprenda se oponga, lo que es para ti para ti será.

Hoy lo comienzo a ver en mi vida y, ¿sabes?, es algo que tienes que vivir para entender, y deseo que haga como conoces el dolor como yo también vivas viendo las maravillas de Dios en tu vida.

Yo misma me sorprendo de la manera en que veo las cosas y a las personas y a cada situación, siempre le busco lo bueno trato de siempre agradecer a mi Jesús por todo en vez de quejarme. No puedo decir que soy perfecta, pero cada día le pido a Dios ser mejor.

Porque la palabra dice que

> *Estando persuadidos de esto que el que comenzó en nosotros la buena obra, la perfeccionará hasta el día de Jesucristo.*
>
> Filipenses 1:6

Y la verdad yo creo que todavía estoy muy debajo de saber y entender todo lo que el Padre anhela que entendamos. Solo le pido su sabiduría cada día porque sé que el enemigo no duerme.

Sobre todo, algo que debes hacer para llenarte de los frutos del espíritu es soltar todas las cargas a Jesucristo.

> *Por nada estéis afanosos, sino sean conocidas vuestras peticiones delante de Dios en toda oración y ruego, con acción de gracias.*
>
> Filipenses 4:6

## Los deseos de la carne

Como su nombre lo dice, es todo lo que desea nuestra carne, y lo que el mundo nos ha enseñado por medio de la televisión la tecnología y cosas muy carnales, como el orgullo, la vanidad, y desgraciadamente ahora la moda nos muestra lo malo como bueno y lo bueno como malo.

Todo esto viene del engañador, del padre de la mentira (que Jesucristo lo reprenda), pues él solo ha venido a

robar, a matar y a engañar *Juan 39,44*

Él puede robar

tus hijos, tu matrimonio, tu paz, tu salud, tus finanzas y tus sueños.

Él puede matar

tu espíritu, tu relación con tu prójimo, tus pensamientos, tu propósito.

Te puede engañar

en tu mente, tu corazón, a tu familia, pero sobre todo tiene el don de envolverte el veneno en chocolate.

Pero todo esto solo lo logra si tú no estás llena de los frutos del espíritu.

> *Someteos pues a Dios, resiste al diablo y huirá de ti.*
>
> Stg 4:7

> *Tu crees que Dios es uno, también los demonios creen y tiemblan.*
>
> Stg 2:19

Nosotros no podemos decir que estamos bien porque creemos en DIOS solamente porque aquí la palabra nos enseña que también los demonios creen y tiemblan, o sea, que nosotros debemos creer a DIOS, que es diferente.

Creer a DIOS es creer que él es fiel poderoso para cambiar cualquier situación así como detener la tormenta.

*Porque nada hay imposible para Dios.*

Lucas 1:37

*Porque en Él fueron creadas todas las cosas que hay en la tierra visibles e invisibles. Sean trompos, sean dominios, sean principados, sean potestades, todo fue creado por medio de Él y para Él.*

Colosenses 1:16

Todo es de Dios, no hay cosa más grande que Él nada no hay y todo es del nada es nuestro, por eso debemos dejar que Él sea en nosotros transformándonos en mejores siervas, esposas, mamás, hijas, hermanas y amigas haciendo todo siempre para agradar a Dios primero y cada día pelear con la carne.

*No os engañéis: Dios no puede ser burlado, pues todo lo que el hombre sembrare esto también segará, porque el que siembra para su carne de la carne segará corrupción, mas el que sembrare del espíritu segará vida eterna.*

Gálatas 6:7,8

No lo olvides: los deseos de la carne son las armas que el diablo usará contra nosotros mismos. Él hará que el veneno esté perfectamente envuelto para ti con un apetitoso y rico manjar.

Yo era una mujer contenciosa, gritona, posesiva, media soberbia, y sobre todo sentía que todo lo podía y nadie lo haría mejor que yo.

Siempre tenía la razón y que las cosas tenían que ser como y cuando yo quería.

Y lo peor, era perfeccionista y esclava del trabajo, así que Dios tenía mucho trabajo conmigo.

¿Estaba súper en la carne y tú que tantos deseos de la carne te dominan?

Es importante examinarte y reconocer cada uno y deshacerte de ellos por voluntad propia o serás pasada por el fuego y dolerá.

Si eres sincera contigo misma te ahorrarás mucho dolor tiempo y sobre todo recorrerás más rápido tu desierto y verás más rápido las maravillas de Dios en tu vida.

Los frutos del espíritu y los deseos de la carne también te servirán para discernir cuándo algo es de Dios y cuándo no.

Muchas veces pedimos consejos a las personas a nuestro alrededor porque es difícil tomar decisiones, pero eso es un gran error si no es una persona que camine en la palabra de DIOS y tenga conocimiento de la voluntad, pero principalmente que tenga el fruto del amor de DIOS.

Las personas al igual que nosotros traen heridas y por lo regular no son sanas emocionalmente.

Y solo escucharás cómo ellos piensan de acuerdo con su situación, por eso es importante distinguir si el consejo que te dio trajo a tu espíritu paz o duda.

Ojo, dije «a tu espíritu», porque si decimos «a la carne» cualquiera te hará sentir bien, te dirán: «No te lo mereces, no batalles, vive y disfruta tú y el que viene».

En cambio, algo que te dicen que incomoda a tu carne es algo que agrada a tu espíritu, así que estate muy atenta a cada consejo que escuchas, pero más a los que aceptas,

porque depende de lo que recibas y admitas en ti será lo que tú te alimentas.

De tu alimento depende tu salud, pues de tu alimento espiritual depende tu fe y tus bendiciones, así como las de tus seres queridos.

Recuerda: quien controla tus pensamientos controla tus emociones.

La mente es el principal campo de batalla del enemigo, pues él sabe que si logra que sus malos pensamientos bajen a tu corazón, tiene la mitad o toda la pelea ganada, pues a veces solo uno. Apaga todo en ti y el enemigo sabe qué botón tocar para desanimarte y hacer que pierdas la fe, pues recuerda: sin fe es imposible agradar a Dios.

Sabes que mientras estás escuchando esos pensamientos de derrota, y sufriendo por los desprecios o indiferencia de tu esposo o de alguien, el enemigo gana terreno haciendo que tu esposo no quiera estar cerca de ti, pues a ellos no les gusta ver a una mujer que sufre por culpa de ellos y mejor huyen, porque no quieren ser más enfrentados con lo que están haciendo mal.

Y ellas aprovechan cualquier oportunidad, por eso es hora de que tu espíritu crezca y la carne muera. El orgullo de mujer es traicionero y muy engañoso. No tomes decisiones apresuradas cuando sientas que estás bajo la influencia del yo.

Esto es algo difícil, pero si te rindes a Dios Él te dará la fuerza para morir a tu carne y vencerás cada día, esos pensamientos que te traen incertidumbre y no permitas que dejen dolor, si es preciso diario, perdonar y soltar.

## ¿Y tú de qué te has alimentado, qué fruto del espíritu tienes y cuáles te hacen falta?

# Oración por el fruto del espíritu

*Padre, tú eres el Todopoderoso. Tu palabra dice que te fíes de Jehová de todo tu corazón y no te apoyes en tu propia prudencia. Reconócelo en todos tus caminos y Él enderezará tus veredas. No seas sabio en tu propia opinión; teme a Jehová y apártate del mal, porque será medicina a tu cuerpo y refrigerio para tus huesos.*

Prov 3:5,8

Padre, sea sobre mí tu santo espíritu. Deseo que viva en mí, con todo mi corazón, mi mente y mis fuerzas. Sé que tú lo mandaste para ser nuestro consuelo, quien nos dirija, nos guíe, nos redarguya, y enamore de ti. Sé que él intercede ata con gemidos indecibles, por mí, porque yo no sé.

Amado salvador, te entrego hoy esos deseos en mí que aún me son piedra de tropiezo (menciona todo por lo que aún luchas que son deseos de la carne). Yo sierva inútil soy, pero tú que me formaste lo puedes cambiar. Por el fruto de tu espíritu dame, hambre y sed de tu palabra, y no permitas que sea tentada más de lo que puedo soportar, y dame una salida en cada tentación, dame de tu gracia y dame el don de revelación para entender esta tu palabra y recibir todo con amor de ti.

*No menosprecies, hijo mío, el castigo de Jehová, ni te fatigues de su corrección; porque Jehová al que ama castiga, como el padre al hijo a quien quiere.*

Prov 3:11,13

Padre, te entrego el control de mis emociones, mis sentimientos, mis pensamientos, mis caminos y mis decisiones. Dame tu espíritu de poder amor, y de dominio propio dame un corazón nuevo y sácame de la cárcel, para que mis labios te alaben y yo viva en tus estatutos para ser agradable a ti en el nombre de tu hijo Jesucristo. Te lo pido y con la fe de que siempre me escuchas y me contestas, porque me amas tú eres mi padre y yo soy tu hija y me amas con tu amor entrañable y llenas mi vida de vida y vida en abundancia, y me rodeas de tu gracia y tu amor. Gracias, Padre, en el nombre de Jesucristo. Bendito eres y ata sea la otra y la gloria, precioso hijo de Dios.

# La misericordia

m isericordia es la decisión que

i mpide que tu noble corazón

s e endurezca y se aleje de Dios

e ntenderás que esta es la constante

r econciliación con el padre eterno

i ncluyendo la de tu hermano pues en

c risto Jesús hay ese gran aliento y alimento

o rando con humildad crecerá en ti y tú la

r recibirás del todo poderoso aún más

d e lo que ya lo ha hecho al dar a su hijo

i d pues y dar misericordia y hacer discípulos

a mando con amor incondicional y creyendo

*Amada princesa, Jehová es el que rescata tu vida,*
*el que te corona de favores y misericordias.*

Salmo 103 :4

*Digan ahora los que temen a Jehová que para siempre es su misericordia.*

Salmos 118:4

*Mira, oh, Jehová, que amo tus mandamientos. Vivifícame conforme a tu misericordia.*

Salmos 119:159

*Tendrá misericordia del pobre y del menesteroso.*

Salmos 72:13

*Alabad a Jehová,*
*al único que hace grandes maravillas,*
*al que sacó a Israel de en medio de ellos,*
*al que dividió al mar Rojo,*
*al que pastoreó a su pueblo por el desierto,*
*porque para siempre es su misericordia.*

Salmos 136

*Bendito sea Jehová,*
*porque ha hecho maravillas*
*su misericordia para conmigo*
*y me ha puesto como ciudad fortificada.*
*Oh, hombre, él te ha declarado lo que es bueno, ¿y qué pide Jehová de ti?*
*Solamente hacer justicia y amar,*
*misericordia y humillarte ante tu Dios.*

Miqueas 6:8

misericordia de Dios — clemencia, piedad, compasión, ternura, amor entrañable — carácter de Dios. Él es fiel

*La misericordia de Dios es perpetua.*

Salmo 136

Jesucristo es. Antes y después su misericordia es desde la eternidad y hasta la eternidad.

El padre por su misericordia dio a su hijo para que tomara nuestro lugar en la cruz.

## A lo largo de mi vida

miraba la maldad de las personas y, a pesar de eso, yo tenía un sentimiento raro para mí y siempre trataba de justificar las malas acciones o de entender por qué lo habían hecho.

Mi madre me decía que era muy confiada, que un día me daría cuenta de que el mundo no era color rosa como yo me lo imaginaba y que la crueldad de las personas me podía hacer mucho daño.

Y sí, conforme crecí lo aprendí, y lo más cruel es que parecía que se ponían de acuerdo todas aquellas personas que se suponía debían amarme y cuidarme, para hacerme daño, un daño que por aquel sentimiento raro que había en mí no se convirtió en odio.

Dios en su infinito poder y gracia siempre me guardó de que mi corazón se llenara de rencor, pero sin darme cuenta comenzó a brotar dentro de mí una raíz de tristeza porque no alcanzaba a comprender por qué me causaban daño.

Todo esto comenzó desde que yo tenía como 5 añitos de edad, son los recuerdos más antiguos que tengo.

De ahí así sucesivamente comenzó a haber en mi vida muchos sucesos de dolor, ya la mayoría te los he contado.

El caso es que ahora en este nuevo inicio de mi vida me doy cuenta al conocer más de Dios y de lo que Él hizo con su hijo y de la vida de Jesucristo.

Entendí que era ese sentimiento raro.

Era la misericordia de Dios en mi corazón.

Para muchos la misericordia es confundida con ser tonto, pero recuerda que para el mundo los pensamientos de Dios son locura; de hecho, ni siquiera esa raíz de tristeza la había detectado. Cuando yo ya predicaba alguien me dice: «¿Cómo puedes predicar si aún tus ojos no revelan la luz de Dios, todavía tienes rencor en tu corazón?».

Y yo le dije: «No, eso no es cierto».

Llegué a mi casa, me postré y le dije a mi papi: «Tú sabes que no es cierto eso que me dijeron, pero sí siento que hay algo que no me deja avanzar mucho y me hace sentir débil y desanimada a veces, sobre todo cuando alguien me desprecia o menosprecia».

Y pues ahí estuve y yo le decía a mi papi que me dijera.

Y sí, Él de hecho usó a alguien para decirme. Aquella persona con la cual yo no tenía una relación cercana me escribió y me dijo: «Dice Dios que sigas orando para que salga de ti esa raíz de tristeza». ¡Guau! En ese momento caí de rodillas porque no habían pasado ni dos horas cuando Dios me contestaba. Eso fue impresionante.

Esa es otra prueba de su amor, poder y misericordia. Él es increíble. ¿Quiénes somos? Nada, no merecemos nada, pero así se muestra su misericordia.

Por eso ahora doy gracias a mi Jesús, y no me canso de hacerlo porque para siempre es su misericordia. Además la palabra de Dios dice:

> *«Nunca se aparten la verdad y la misericordia, átalos ata cuello».*
>
> Prov. 3.3

Yo creo que esto quiere decir que nunca olvidemos de dónde Dios nos levantó y que Él tuvo misericordia cuando estábamos esclavas del mundo y sus deleites, y que también debemos extender nuestra mano a otros, pues la verdad es Jesucristo y la misericordia la da el espíritu de Dios.

Gracias a que Dios puso en mí esa misericordia y que yo la tuve con otros, también Él la tuvo de mí cuando yo pensaba que no importaba a nadie y que ya nadie me necesitaba.

Muchas veces me hacía preguntas cuando veía las cosas que tan malas que suceden más a unos que a otros.

Yo decía: «¿Por qué Dios lo permite?».

Pero no es así, no es que Él lo permita, es que las personas volteamos nuestro rostro de Él y tomamos malas decisiones en las emociones, y el orgullo de la carne con la mente entenebrecida por el pecado.

Muchos le echamos la culpa a Dios y no sabemos que lo único que él hace es estar ahí junto en cada tribulación y cada mala decisión, esperando que volteemos a decirle: «Ayúdame, abrázame, Tú eres mi refugio». Pero no lo hacemos y entristecemos su corazón.

En cada situación está atento, esperando emocionado que volteemos y le digamos: «No importa esto, porque te tengo a ti, que eres la fuente de todo».

> *Acerquémonos confiadamente al trono de la gracia para alcanzar misericordia y hallar gracia para el oportuno socorro.*
>
> Heb 4:16

Muchas, si no todas, hemos caído en las trampas del malo, que Jesucristo lo reprenda y por las consecuencias de nuestras malas decisiones, en el lodo senados de

la depresión,
la enfermedad,
el orgullo,
la ira,
el rencor,
la falta de perdón,
las mentiras, aun las piadosas,
la miseria,
la inmundicia,
la traición,
la idolatría,
y uno de los más peligrosos,
la rebeldía, junto con desobediencia,

que es el yo justificado, pero viene la mano de Jesucristo y la mete entre ese lodo y nos levanta redimiéndonos y blanqueando nuestras manos y nuestros vestidos con el poder de su sangre y su misericordia.

> *Llamaré pueblo mío al que no era mi pueblo, y a la no amada, amada. Y el lugar donde se les dijo, vosotros no sois pueblo mío allí serán llamados hijos del Dios viviente.*
>
> Rom 9:2,26

Si tú estás leyendo este manual que nació del corazón de Dios siéntete privilegiada porque nada es casualidad. Él ha tenido misericordia de ti y, si no te alejas de él y permaneces en Él, tu vida será de bendición para ti y para muchos.

> ¿Qué pues diremos, que hay injusticia en Dios? De ninguna manera, pues a Moisés dice: «Tendré misericordia del que yo tenga misericordia y compadeceré del que yo me compadezca».
> Así que no depende del que quiere ni del que corre, sino de Dios, que tiene misericordia.
>
> Rom 9:14,16

¡Guaauuuuuuuu ¡ Si entiendes esto no estás en Cristo porque tú lo merecías sino porque fuiste escogido.

Ahora no podemos ser indiferentes ante grande misericordia. Como te he dicho ahora no lo entiendes, pero ya lo harás.

Sabes que dar gracias a DIOS por todo es una de las armas más poderosas de DIOS para derribar fortalezas.

Yo era una mujer muy quejumbrosa a todo, le alaba un defecto y algo con que mejorarlo.

Un día Dios usó a mi hermana Gladis para decirme: «Oye, hermana, de todo te quejas, no hay algo que digas: "Esto está bien, lo acepto como es"».

Esas palabras se clavaron en mi corazón y me di cuenta de que era algo que venía de Dios porque incomodó mi carne, pero redarguyo mi corazón.

Entendí que era algo que tenía mal y que tenía que tomar una decisión en este tema, y comencé a poner atención a lo que decía y si siempre me queja de todo.

Me di cuenta de que tenemos más defectos de los que nos podemos imaginar y que al pasar por el taller del alfarero el tallado debe ser más y más detallado, y tardado además es doloroso, pero vale la pena.

Hoy mi vida es muy diferente, disfruto el vivir, ya no es sobrevivir, y puedo ser un poco de la luz de Dios y mostrar su misericordia, y bien es dicho aquello que escrito está:
«Resiste al diablo y huira de ti».

Pero para tener la fortaleza de hacerlo y la sabiduría para discernir cuando te está tentando y es:

*Someteos a Dios.*

Stg 4:7

A cualquiera pues que me confiese delante de los hombres, yo también le confesaré delante de mi padre, que está en los cielos. *Mt 10:32*

## ¿Tú crees que hay misericordia en ti?

# Oración por misericordia

Padre hermoso, Dios fuerte y temible pero amoroso que tienes misericordia de millares, clamo a ti, padre mío, para que pongas de tu misericordia en mí y en toda mi casa te entrego el control. Perdónanos por todas las veces que no hemos tenido misericordia y solo hemos querido venganza. Sea tu voluntad en nosotros y tu espíritu nos sustente en misericordia. Porque tú eres bueno y perdonas a los que como yo vienen ante ti con un corazón arrepentido, humillado y un espíritu quebrantado. Enséñame cuando no esté teniendo misericordia.

Escucha, oh, Jehová, esta mi oración, y está atento a la voz de mis ruegos. Dame la mente de Cristo y un corazón sensible al tuyo, en el nombre poderoso de Jesucristo te lo pido. Mantennos en tus manos como a ovejas tuyas.

Dame la sed y hambre de ti todos los días de mi vida para que mi boca te alabe y seas tú en el trono de mi corazón.

Para ti, mi Dios misericordioso, sea la gloria y la otra, mi amado Señor.

Gracias, redentor nuestro, porque sé que siempre me escuchas y me contestas, por tu misericordia y amor.

# La justicia de Dios

Muchas veces fui muy injusta con muchas personas, solo que muchos no me lo decían y él solo se enojaba y me decía «la sabelotodo», porque yo hacía una historia de alguna situación sin saber, y eso lo hacía enojar. Esto es porque dejamos que la soberbia nos gobierne y su esposo, el orgullo.

*El justo por la fe vivirá.*

Rom 1:17

Quien se considera justo.

*Dice la palabra que no hay ni aun un justo*

Rom 3:10

*El único justo murió en una cruz por ti y por mí.*

Rom 8:10

*Me guiará por sendas de justicia.*

Salmos 23

*Sembrad para vosotros en justicia*
*y segad para nosotros en misericordia.*

Oseas 10:12

*Bienaventurados los que tienen hambre y sed de justicia porque ellos serán saciados.*

Mt 5:3

*Vestidos con la coraza de justicia*

Efesios 6

*Mas buscar primero el reino de Dios y su justicia, y todo vendrá por añadidura.*

Mt 6:33

Por nuestra naturaleza pecaminosa estamos expuestos a ser injustos la mayoría de las veces. Si no te deshaces del el orgullo y su esposa no verás la humildad en tu vida.

Porque no somos perfectos y juzgamos de acuerdo con lo que el mundo a nuestro alrededor nos enseñó que era justicia. Pero ahora ya conoces la verdad y esta te hará libre. Cada día es una lucha para que no me gobierne el orgullo. No te diré que ya soy la justa, porque no hay uno justo, por eso todos los días trato de buscar de Jesucristo. ¿Sabes? Los Proverbios te darán sabiduría para actuar con justicia y serán luz en la duda. Algo que ama me ha funcionado, es leer un capítulo cada día del mes y terminando otra vez y se te hará un evito, que te dará sabiduría, y por la falta de sabiduría de los pensamientos de Dios.

Lo mejor que se puede tener es un tiempo de meditación y en presencia de Dios preguntar cómo debemos juzgar solo si es necesario. Si no, no.

Porque dice la palabra:

No juzgues para que no seas condenado en lo que juzgas.

Durante toda mi vida yo creo todos hemos cometido muchas injusticias con muchas personas, con nuestra propia familia y desafortunadamente con quien menos tiene culpa, con nuestro Padre, a Él le echamos la culpa o lo hacemos responsable de casi todo a lo que no le encontramos respuesta.

Pero cuando entregas tu vida a Cristo creyendo con fe que Él es el señor de tu vida, tus emociones y decisiones, y que ya no vives tú sino Cristo en ti.

La justicia vendrá por su consejo, pues escrito está:

> *Porque un niño nos es nacido, hijo nos es dado y se llamará su nombre,*
> *admirable,*
> *consejero,*
> *Dios fuerte,*
> *padre eterno,*
> *príncipe de paz,*
>
> Isaías 9:6

> *La justicia de Dios, por medio de la fe en Jesucristo para todos los que creen en él, porque no hay diferencia.*
>
> Rom 3:22

Tenemos cada día que tratar de ser justos, pero solos no podremos si no nos alimentamos de la palabra de justicia. Uno toma decisiones que para Dios no son justas, pero como ya no vives tú sino Cristo en ti Él adarguerá tu corazón para que no te equivoques.

> *Hijitos míos, estas cosas escribo para que no pequéis; y si alguno hubiera pecado, abogado tenemos para con el padre a Jesucristo el justo.*
>
> 1 Juan 2:1

Dios es tan justo y misericordioso que nos perdona nuestros pecados a todo aquel que viene a él con un corazón humilde y lleno de clamor, fe y esperanza de que Él es justo y todo lo tiene bajo control.

> *Mas el que no obra si no cree en aquel que justifica al impío, su fe le es contada como justicia.*
>
> Rom 4:5

# La vida es injusta, pero Dios es justo

*Uno solo es el dador de la ley que puede salvar y perder, pero ¿tú quién eres para juzgar a otro?*

Stg 4:11,12

Amadas, quitémonos lo más posible el juicio de la boca para no caer en condenación. Recuerden:

en la boca está el poder de la vida y de la muerte

¿Alguna vez has anotado todas las palabras que salen de ti y has analizado qué das?

*El justo come hasta saciar su alma, mas el vientre de los impíos tendrá necesidad.*

Prov 13:25

*No juzguemos para no ser juzgadas, porque en el juicio con que juzgáis serás juzgado y con la medida con que medís os será medida.*

Mt 7:1,2

**juicio = dicen separar**

dividir distinguir entre una casa y la otra

juzgar = dictar sentencia condenatoria

El enemigo sabe las reglas, conoce la Biblia más que nosotros, y no dudes que usará a alguien para hablarte de que puedes juzgar por ti, ya eres sabio, ojo mucho ojo, no hay uno ni aun uno bueno.

Acércate más a encontrar el reino de Dios y su justicia, y todo todo todo vendrá. La justicia de DIOS es locura para el mundo. Él te da la libertad de escoger: ser injusto por orgullo o ser justo por obediencia a Dios, aunque consideres que no merece justicia ese ser, y si no quieres tener que decidir como siempre, ora adiós al consejero, admirable, padre eterno, Dios fuerte, príncipe de paz. Solo Él te dará siempre la mejor dirección.

Él siempre hará mejor de lo que nosotros podemos pedir.

Orando es la mejor ayuda que le podemos dar a una persona la cual no está siendo justa o está recibiendo una injusticia, y verás lo que Dios hará. Nuestro Padre hermoso es el único justo. En la palabra hay un verso que como ya te dije antes me llamó mucho la atención. En Mt 6:33 dice: «Busca primero el reino de Dios y su justicia, y todo vendrá por añadidura».

Este verso me llevó a buscar qué era la justicia de Dios. Claro, antes creo yo entendí que era el reino de Dios. Es tener el entendimiento de cuán grande es su amor, el cual fue en su más grande manifestación que es la cruz ese sacrificio, de amor. El reino es entender que el amor de Dios es incondicional y que no tienes que hacer nada para que Él te amé. Es amar a Dios primero y tu prójimo como a ti mismo.

El que no escatimó ni a su propio hijo, sino que lo entregó, por todos nosotros. ¿Cómo no nos dará también con Él todas las cosas? *Rom 8:32*

Porque el reino de Dios no es comida ni bebida, sino justicia, paz y gozo en el Espíritu Santo. *Rom 14:17*

Esto me sacudió porque era justamente lo que no había en mi vida, y yo y mi alma lo ansiábamos. Entonces la búsqueda se incrementó. Para mí era encontrar el mayor tesoro. Poco a poco mi padre me fue revelando de acuerdo con mi madurez, que era la justicia y no solo me lo reveló, sino me puso en situaciones donde fue probado qué tanto había aprendido de la justicia de Dios.

Un día haciendo ejercicio escuchaba el libro de Stg. Dios me reveló el primer paso de la justicia, que es la fe.

La justicia de Dios es el complemento del reino de Dios.

## Y se cumplió la escritura, que dice: «Abraham creyó a Dios y le fue contado por justicia, y fue llamado amigo de Dios». *Stg 2:23*

Esto nos dice, que cuando tú crees que Dios puede cambiar esa situación o persona y descansas en Él tus cargas comenzarás a ser justa, pues ya no querrás cambiar tú a las personas desgastándote en el intento.

Quiere decir que la justicia para Dios es creer que Él es justo, para darte lo que Él considera que es lo mejor para ti, y creer en que para Él no hay imposibles, y que si le pides sabes que Él te dará mucho más abundantemente de lo que tú puedes pedir, pero de acuerdo con su voluntad.

Y entonces dices como Jesús: «Padre, si puedes pasar de mí esta copa; si no que se haga tu voluntad». Esto es duro y cuesta decirlo y aceptarlo, pero esto es justicia.

> *Porque juicio sin misericordias hará con aquel que no hiciera misericordia; y la misericordia triunfa sobre el juicio.*
>
> *Stg 2:13*

Esto quiere decir que antes de hacer juicio nos pongamos en lugar de la persona y tratemos de entender por qué actúa así y que entendamos que hay heridas, las cuales han causado emociones desbordadas. El pecado a entenebrecido su mente y no piensan claramente. Muchas veces no pueden dar lo que tú quisieras. Esto te ayudará también a entender su rechazo o malas actitudes. Recuerda que nadie puede dar lo que no tiene, y la misericordia que hay en ti al orar por esa persona te dejará ver la mano de Dios y sobre todo Él también tendrá misericordia contigo. Imagínate si Dios te hiciera juicio.

*Y el fruto de justicia se siembra en paz para aquellos que hacen la paz.*

*Stg 3:18*

Dirás: ¿cómo consigo tener paz?

La paz se obtiene en tu vida cuando comprendes el poder de la soberanía de Dios y su grandeza, para hacer de lo imposible algo posible. *Mt 19:26*

Este entendimiento viene escudriñando la palabra de Dios cada día.

Y darás ese fruto de paz a quien vive en desesperanza y serás luz a las que viven en absurdidad.

*En esto se manifiesten los hijos de Dios y los hijos del diablo; todo aquel que no hace justicia, y que no ama a su hermano, no es de Dios.*

1 de Juan 3:10

Como ves la justicia es el amor, la misericordia, la paz, la humildad; pero también lo que va en contra de la justicia es la ira, es el deseo de la carne que nos hace reaccionar de manera inmediata sin pensar y diciendo cosas que duelen que matan y después no se pueden borrar.

*Porque la ira del hombre no obra la justicia de Dios.*

Stg 1:20

*Huye también de las pasiones juveniles y sigue la justicia, la fe, el amor y la paz, con los que de corazón limpio invocan al señor.*

2 Timoteo 2:22

Esto es la justicia: que Dios no nos da lo que merecemos sino nos da la oportunidad de arrepentirnos y ser justificados por la gracia de la cruz. ¿Quiénes somos nosotros para juzgar? La vida es corta, deja que Él dé a cada uno? Tu trabajo es mostrar el amor de Dios y ser reflejo de su luz.

> *Porque Dios, el que en vosotros produce así el querer como el hacer, por su buena voluntad, hacer todo sin murmuraciones y contiendas, para que seáis irreprensibles y sencillos, hijos de Dios sin mancha en medio de una generación maligna perversa, en medio de la cual resplandecéis como luminaria en el mundo.*
>
> Filis 2:13,14

# Oración por la justicia de Dios

Oh, papi precioso, justo eres tú, justo y perfecto sabio y conoces mi futuro. Tú, amado mío, diriges la santa corte celestial.

Te ruego en el nombre de Jesucristo que me perdones por la injusticia de mi juicio hacia aquellos que han estado a mi alrededor y principalmente a (pon los nombres de las personas con las que recuerdas que has sido injusta), y líbrame por tu misericordia de toda condenación de injusticia.

Sé que tu juicio es misericordioso para los que tenemos misericordia y que tú conoces mi corazón.

Por favor, Padre, borra toda palabra de juicio que hayan puesto sobre mí, los perdono, no les cuentes como condenación a aquellos que por ignorancia me han juzgado.

Levántate, oh, Jehová, no se fortalezca el hombre, sean juzgadas las naciones delante de ti. Pon, oh, Jehová, temor en ellos, conozcan las naciones que no son sino hombres.

Salmos 9:19,20

Conforta mi alma y guíame por sendas de justicia, por amor de tu nombre, para que ciertamente el bien y la misericordia me sigan todos los días de mi vida y en la casa de Jehová moraré por largos días. Salmos 23

Perdóname sobre todo por todos los juicios que hice hacia ti, rey santo poderoso, y por los que me son ocultos, y bórralos de tu memoria. Que en el nombre poderoso de Jesucristo tu espíritu me redarguya cuando esté haciendo juicio a mi prójimo. Gracias por hacer justicia a mi vida, gracias por darme tu sabiduría y prudencia para no caer en condenación, gracias porque tu espíritu me fortalece en el poder de tu fuerza y amor, gracias por tu gracia y favor.

Deseo con todo mi corazón que este manual, el cual es el testimonio de mi comienzo cuando creí que era el final, te haya sido de bendición y de edificación. Así lo creo porque no nació de mí sino del corazón de Dios.

No permitas que esto se acabe aquí, dalo a alguien que sabes que lo necesita, para que las maravillas de Dios las puedan vivir otras personas a las cuales solo tu llegarás.

Lo que yo recibí de todo esto fue conocer al Dios maravilloso y misericordioso que solo había escuchado más. Ahora lo conozco y sé que nunca he estado sola, que no estoy sola y que no estaré más sola, porque nada nada me soltará de la mano de mi padre, adonde iré que no me encuentre, adonde aire de su presencia. Salmos 139

Él me buscó, cada día esperó pacientemente, hasta que comprendí que no hay amor más grande, sublime e indescriptible.

Él me dio un gran valor cuando muchos me despreciaron. Él me decía que yo era hermosa cuando me sentía fea, vieja y olvidada de mí misma.

Él me enseñó a amarme y a aceptarme con lo que tenía, porque soy única.

Él me hizo como necesitaba que yo fuera para lo que me diseñara, y aún sigue haciendo su obra en mí.

Pero todo este proceso no ha sido para muerte sino para vida, pues ahora hago cosas que jamás soñé y me valoro, ya no me controla, el que otros no me validen.

Disfruto cada día como si fuera el ultimo, doy de mi tiempo y mis bendiciones a quien puedo.

Estoy aprendiendo a pelear la buena batalla de la fe, la que se pelea con la certeza de que está ganada para ti.

Porque el que la pelea es el Todopoderoso. Hoy puedo ser el reflejo de la luz de Dios en otras.

La sanidad de mi alma mente y de mi corazón fue lo mas sorprendente de mi vida, la experiencia más asombrosa.

El paso por el taller del alfarero me ha hecho conocer a la gran guerrera que Dios diseñó para estos tiempos.

Hoy el pasado quedó atrás y con él la vieja mujer contenciosa y olvidada de ella misma, y nació la nueva mujer, la que ama, la que vive, la que dejará huella, y no por mis capacidades, sino por la gracia y las promesas de JESÚS, el admirable, consejero, Padre eterno, Dios fuerte, príncipe de paz.

Y lo mejor de lo mejor: soy hija del rey, el dueño del oro y la plata.

Para despedirme te dejo oraciones,
promesas para tu vida,
y algunas canciones que
Dios me inspiró para él y para
sus amadas princesas, las guerreras
que Él diseño, y tú eres una.
Y recuerda: solo Jesucristo cura,
las heridas ni el tiempo, ni las distancias,
y siempre Él está ahí, te ve y conoce tu corazón.

Él no te juzga, solo te ama y desea darte una mejor vida, y vida en abundancia.

Él es la resurrección de lo que ya estaba muerto, no lo entierres, entrégaselo. Mira al cielo, reconociendo su poder y majestad, mueve la piedra y deja que el resucite a Lázaro, y no te preocupes si ya hiede pues es ahí donde ya todo parece imposible que Jesús llegará y dirá: «Levántate», y eso que parecía muerto vivirá si puedes creer.

*«Y pelearán contra ti*
*pero no te vencerán»,*
*porque yo estoy contigo,*
*dice Jehová para librarte.*

dic 2018 Jeremías 1:19

*Y me dijo Jehová: «Bien has*
*visto porque yo apresuro*
*mi palabra para ponerla*
*por obra».*

mayo 18 2016 Jeremías 1:12

Recuerda que las promesas de Dios son el sí y el amén en nosotros por Cristo Jesús.

> *Nunca se apartará de tu boca este libro de la ley, sino que de día y de noche meditarás en él, para que guardes y hagas conforme a todo lo que está escrito en él, porque entonces harás prosperar tu camino y todo te saldrá bien. Mira que te mando que te esfuerces y seas valientes; no temas ni desmayes, porque Jehová tu Dios estará contigo donde quiera que vayas.*
>
> Josué 1:8,9

Esta promesa grábala,
nunca la olvides,
que sea tu espada.

Dios me la dio en un momento de indecisión y soledad en diciembre de 2017, y sí, su palabra, que es el libro al que se refiere, ha sido mi luz, mi sustento, mi arma, mi consuelo, mi salida en la tentación, mi compañera fiel del ministerio, pues ella me respalda y muchas veces ella ha sido mi mejor amiga y confidente, pues discierne los pensamientos y las intenciones del corazón.

> *El espíritu de Jehová*
> *está sobre mí porque*
> *me ungió Jehová; me ha*
> *enviado a predicar buenas nuevas a los*
> *abatidos, a vendar a los quebrantados de coraza*
> *a publicar libertad a los cautivos, y a los presos*
> *apertura*
> *de la cárcel, a proclamar el año de la buena voluntad de Jehová y el día de la venganza del*

*Dios nuestro, a consolar a los enlutados, a ordenar que a los afligidos de Sion*
*se les dé gloria en lugar de ceniza, óleo de gozo en lugar de luto, manto de alegría en lugar del espíritu angustiado, y serán llamados árboles de justicia, plantío de Jehová para gloria suya.*

Isaías 61.1 al 3

Esta fue dada el 11 de junio de 2016.

En un sueño dado en diciembre de 18, Dios me mostró que yo daba a una gran fila de personas un gran fruto como este.

La siguiente oración es por esa persona, quien también fue usada por el enemigo para tu destrucción y de tu matrimonio en caso de infidelidad. Si logras orar por ella con ese amor que orarías por tu hermana, la cual está su alma en peligro de ser devorada por el león rugiente, habrás encontrado el reino de Dios y su justicia y tu oración de amor, moverá la mano de Dios pero sobre todo habrás aprendido a perdonar de corazón.

# Oración por la mujer extraña

Padre santo, misericordioso, hoy doblo mis rodillas a ti y te pido que inclines tu oído a mi clamor, el cual tú sabes que en esta ocasión me ha sido difícil. Pero sé que la pelea no es contra carne y sangre, y en obediencia a tu palabra, gracia, y porque has llenado y sanado mi corazón de tu misericordioso amor, te pido por una mujercita que necesita de tu amor, presencia y misericordia, la cual ha sido usada por el enemigo (que Jesucristo lo reprenda).

Papito, en el nombre poderoso de Jesucristo, tu hijo amado, oro a ti por esta alma, por esta oveja que necesita que vayas por ella, que la tomes en tu lecho y la hagas deseable para ti, como hiciste conmigo, cuando yo también estaba en el lodo cenagoso y me tomaste, me amaste, me perdonaste y me diste tu amor incondicional, aun cuando no lo merecía y te rechacé muchas veces. Ahora as así, con ella llévala a ese lugar de tu presencia, o a ese desierto, que ella necesita para poner su mirada en ti y tú le hables a su corazón y ella se vuelva a ti de todo su corazón *Oseas 2:14*

Padre, yo tomo la decisión de perdonarla, por todo el daño, difamación y dolor que trajo a nuestras vidas y te pido que tú también la perdones y no le tomes en cuenta lo que hizo a mi familia y matrimonio, pues solo fue usada por el enemigo, pero tú todo lo volviste para bien, para mí por te conocí, y me encontré con mi diseño de ti y porque para ella también hay esa oportunidad de que te conozca y transformes su vida.

Con tu amor, porque ella también fue comprada a precio de sangre, papito, toca su corazón con tu entrañable amor y en tu regazo abrázala, consuélala. Yo no sé ni conozco su sentir, su dolor, su necesidad, sus deseos, tal vez hay heridas en su corazón. Yo te pido en el nombre de Jesucristo que sanes su corazón, que la luz de Cristo alumbre su mente y la limpie de todo pensamiento equivocado y de maldad renueva en ella el espíritu de su mente. Vístela de la nueva mujer creada según Dios en la justicia y santidad del verdad, por lo cual desechando toda mentira, que ella hable solo verdad, ponle conciencia del daño que ha causado y dale la sabiduría, para buscarte quebranta su corazón, para que humillada te busque y vea que en ti está la paz y toda bendición.

En el nombre de Jesucristo, papito, llénala de ti, que tu Espíritu Santo la ministre y tu presencia estén con ella cada día, redarguyendo su corazón y haciendo una trasformación en su vida, mente, carácter y corazón, y vea y conozca la verdad, y esta la haga libre de toda maldad.

Atráela cerca, muy cerca de tu corazón, dale un nuevo corazón, conforme al tuyo, y así también el don del verdadero arrepentimiento, de todo el mal que ha hecho, y bendícela con toda bendición espiritual y todo lo que tengas para ella.

Nunca nunca la sueltes de tu mano, para que ella y toda su familia te sirvan y te conozcan y no se pierda su alma, sino que te amen con todo su corazón, con toda su alma y con toda su mente. Gracias, Padre, en el nombre de Jesucristo.

# Oración para que el corazón de quien te traicionó se vuelva a Jesucristo

Padre poderoso que estás en el cielo, tu palabra dice que si dos o más nos ponemos de acuerdo por algo en la tierra para pedirte en el poderoso nombre de Jesucristo, y creyendo que lo recibiremos, ahí estás tú y nos lo darás. Yo creo en ti y tu palabra, y me pongo de acuerdo con ella, que es viva y eficaz, y vengo con el corazón humillado a ti a pedirte por que vuelvas el corazón de (su nombre) a ti y te ame con todo su corazón, con toda su alma y con toda su mente, y así su alma sea rescatada para Cristo.

Produce en el querer como el hacer, por tu buena voluntad buscarte con curiosidad, insistencia y con mucha hambre y sed de ti cada día de su vida. *Fil 2:13*

Haz aquel siervo que tú quieres para tu obra, el que tu diseñaste antes de la fundación del mundo a tu semejanza y el cual has puesto sobre todo lo creado en la tierra, y como cabeza y no cola, que él te conozca y tenga una verdadera conversión a ti, que tu Espíritu Santo penetre en él y transforme su mente corazón y su alma de acuerdo con tu voluntad.

Ten piedad o Dios conforme a tu misericordia. Conforme a tus piedades borra sus rebeliones, lávalo más y más de su maldad, y límpialo de su pecado, que él reconozca sus rebeliones porque primero contra ti ha pecado. Purifícalo, con hisopo, y será limpio. Lávalo y será más blanco que la nieve. Crea en él un corazón limpio, oh, Dios, y renueva un espíritu recto dentro de él. Vuélvelo al gozo de su salvación y espíritu noble lo sustente. Abre sus labios y publicará su boca tus alabanzas. *Salmos 51*

Que él vea su pecado como tú lo ves y no como él lo quiere ver. Dale el don del verdadero arrepentimiento para que alcance tu misericordia y vuélvelo en sí.

Confróntalo para que él recapacite y sea libre de toda atadura puesta por el pecado y sus malas decisiones. Te lo pido en el nombre de Jesucristo, tu amado hijo. Padre ,declaro y te pido que sea esta promesa en su vida que dice: «Y les daré corazón para que me conozcan, que yo soy Jehová; y me serán por pueblo y yo les seré a ellos por DIOS; por se volverán ama de todo su corazón». *Termias 24:7*

Padre, tu palabra dice:

«Bienaventurado aquel cuya trasgresión ha sido perdonada y cubierto su pecado.

Bienaventurado el hombre a quien Jehová no culpa de iniquidad y en cuyo espíritu no hay engaño». *Salmos 32:1,2*

Clamo a ti, mi papito hermoso, porque sé que tu misericordia es grande, tan grande como la misma eternidad en su vida. En el nombre de Jesucristo. Amén.

# Palabras de Dios que son promesas para levantarnos así como para los que andan sin fe y esperanza

*Hijitos, vosotros sois de Dios, y los habéis vencido, porque mayor es el que está en vosotros que el que está en el mundo.*

1 Juan 4:4

*¿Hay para Dios alguna cosa difícil? Al tiempo señalado volveré a TI, y según el tiempo de la vida Sara tendrá un hijo.*

Génesis 18:14

*Yo soy el señor, el Dios de toda carne. ¿Habrá algo imposible para mí?*

Jeremías 32:27

*Y mirándolos Jesús les dijo: «Para los hombres esto es imposible; mas para Dios todo es posible».*

Mt 19:26

*Jehová os dice así: «No temáis ni os amedrentareis delante de esta multitud tan grande, porque no es vuestra la guerra, sino de Dios».*

2 Crónicas 20:15

*Aun antes de que hubiera día, yo era; y no hay quien de mi mano libre, lo que hago yo, ¿quién lo estorbará?*

Isaías 43.13

Padre, en el nombre de Jesucristo yo creo y declaro que esta tu palabra es fiel viva y verdadera, y que ya han sido tus promesas sobre mí. Las recibo y las atesoro en mi corazón.

Gracias, padre. Creo y recibo tu promesa: «Y os restituiré los años que se comió la oruga, el saltón, el revoltón y la langosta, mi gran ejército que envié contra vosotros». Joel 2:25 y 27

Amén y amén. Gloria a ti, Jesucristo, padre eterno Dios fuerte y mi paz.

# Oración por la sanación y protección de tus hijos

Padre precioso, hoy te pongo en tus manos mis tesoros, mis amados hijos, los cuales me has dado la dicha de tener, amar y ver crecer. Sé que solo me los prestaste por un tiempo. He comprendido que durante mucho tiempo por ignorancia quise ocupar tu lugar en sus vidas, queriendo no solo educarlos, sino ser quien resolvía sus problemas y controlar muchas veces sus vidas. Te pido perdón de todo mi corazón por no entender que yo no soy Dios, que mi deber solo es amarlos e instruirlos con amor y siendo sabia en ti.

Tú eres padre y sentiste el dolor de ver a tu hijo en una cruz, por eso te pido con todo mi corazón que sostengas a mis hijos de tu mano derecha cada día de su vida. Te los entrego en tu mano con toda la confianza de que tú los guiarás mejor que yo, pues tú sabes el futuro y lo que es mejor para ellos y su vida. Tú los formaste y los diseñaste para un propósito en esta vida, te pido que lo cumplas en ellos.

Pero ¿sabes, Padre?, con mis problemas y heridas he dañado y lastimado su corazón. Tú has sanado mi corazón, por eso sé que tú y solo tú puedes sanar esas heridas que, en mi ignorancia, soberbia y egoísmo, les he provocado, sin querer.

Como dice tu palabra, Jesucristo cambiará los corazones, yo lo creo.

Él hará volver el corazón de los padres hacia los hijos y el corazón de los hijos hacia los padres, no sea que yo venga y hiera la tierra con maldición. *Malaquías 4:6*

Padre, produce en ellos por tu buena voluntad el hacer como el querer, que mis amados hijos te busquen, que te amen, que comprendan que, aunque ahora no vemos ni entendemos nada como quisiéramos, Tú eres perfecto y todo lo que pasa a los que te amamos, Tú lo transformas para un bien, el cual ya ha comenzado por mí, quien ahora estoy aquí ante ti con mi corazón humilde.

Para rogarte por mis bebés, trae por tu misericordia a ellos la paz, la sabiduría, pon en ellos tu don de fe, y esta no venga por pruebas de dolor sino por tu gracia, derriba toda pared de dureza en su vida, primero ante ti y luego a nosotros sus padres dales tu gracia frente a todas las personas.

Cúbrelos con la sangre de Cristo y, aunque anden en valle de sombras de muerte, no teman, pues Tú estarás con ellos, que tu vara y tu cayado les infundan aliento. Adereza mesa delante de ellos en presencia de sus angustiadores, que tu gracia y misericordia los sigan todos los días de su vida y en la casa de Jehová moren por largos días. *Salmos 23*

Despierta su curiosidad, para escudriñar tu palabra y endereza todas sus veredas hacia ti, hacia la comunión contigo. Prov. 16

Rodéalos de todo lo que es verdadero, todo lo honesto, todo lo justo, todo lo puro, todo lo amable, todo lo que es de buen nombre; si hay virtud alguna, si algo digno de alabanza, en esto piensen. *Fil 4:8*

Dales la mente de Cristo, *1 Con 2:16*
que siempre todo lo puedan en Cristo que los fortalezca *Fil 4:13*
que nunca nada los quites de tu mano, *san Juan 10:29*
bajo tus alas protégelos, que no teman del terror nocturno ni de saeta que vuele de día ni de pestilencia de noche, ni de mortandad que en medio del día destruya, que siempre te pongan por su esperanza, a ti el altísimo por su habitación, para que no les venga mal, ni plaga toque su morada.

Manda a tus ángeles cerca de ellos para que los guarden en sus caminos, en las manos los lleven siempre, para que su pie no tropiece en piedra y pisen al león y al áspid hallen al cachorro del león y al dragón, y siempre te amen más que a nosotros para que Tú los libres. *Salmos 91*

Oh, Señor, nos has sido refugio de generación en generación, antes de que naciesen los montes y formases la tierra y el mundo, desde el siglo y hasta el siglo, Tú eres DIOS. *Salmos 90*

Sé también refugio de ellos y de nosotros en el nombre de Jesús.

Tuyos son los cielos, tuya también la tierra; el mundo y su plenitud, tú lo fundaste, el norte y el sur tú los creaste; el tabor y el Hermón cantarán tu nombre. *Salmo 89:11*

Padre, no hay nada más grande que tú, y todo por ti fue hecho, por eso en ti confío lo que amo.

Instruye a mis hijos tú y nunca los dejes sin tu santo espíritu, de día y de noche se deleiten en tu palabra para que todo les vaya bien. *Josué 1:9*

Produce en ellos el querer como el hacer por tu buena voluntad, que se humillen a ti, que oren y te invoquen de todo su corazón, se alejen de sus malos caminos y busquen tu rostro y se arrepientan, y entonces tú los perdonarás y sanarás su corazón. Gracias, mi Padre amado y misericordioso. En el nombre de mi amado Jesús te lo pido. *2 Cónicas 7:14*

# Canción a Jesucristo

En el cielo azul un trono hay
donde el padre sentado está
y a su lado Jesucristo amado.
También en mi corazón un trono hay,
solo que en la necesidad
de un amor a un ser como yo coloqué.

Ahora de mis ojos un velo cayó.
Pude ver y comprender que ese trono
para el hombre no es
pues diseñado está para el que por mí su vida dio,
quien me ama con amor incondicional.

**Coro:**
*Por eso quiero al mundo gritar :*
*Jesucristo ha tomado su lugar*
*en el trono de mi corazón*
*y todo en mí cambio, y hoy*
*ya no vivo yo sino Cristo en mí.*

Yo te quiero decir a ti, hijo de Dios,
que no has dado tu trono al Señor,
al Padre celestial, que esperando está
que lo invites a tomar ese lugar
que destinado está a Jesucristo nada más.
Así Él te pueda defender en el día malo
pues donde habita él el mal no puede entrar.

Sé que todo lo puedo vencer
pues mayor es el que conmigo está.
Ninguna arma forjada contra mí prosperará.
Yo sellada fui con el espíritu de Dios
y hoy sé que mi mejor batalla de rodillas la ganaré,
pues el que me llamó por mí peleará,
al faraón derribará y ejército en el fondo del mar.

**Coro**

Él al mar los echará y voltearé
y no los encontraré
a quien la guerra me hacía
los buscaré y no los hallaré
como pabilos Dios los apagará.

**Coro**

Lo pasado ha pasado ya
he aquí todo nuevo. Él hará,
yo lo veré y tú también.
Jesús dice: «Hoy caminos abriré
en tus desiertos y ríos en la
soledad. Si tan solo tú puedes creer,
a ti te digo que pronto vendré y
siempre contigo estaré».

## Recuerda:

cree, sueña, vive, ama, sonríe, conquista.

*No des a nadie el poder de quitar tu gozo,*

que nadie te robe tus sueños

*No vales por lo que tienes sino por quien eres.*

Sé valiente, no desistas, pelea de rodillas.

*Prueba de qué estás hecha.*

Solo los valientes arrebatan la victoria.

*Sé de las que dicen: «Lo logré porque creí».*

Sé sabía, prudente, astuta, tierna, amorosa.

*No dejes que los malos pensamientos te dominen.*

No nos define lo que nos despedazó,

*en el pasado quedó.*

Hoy nos define el que nos levantó.

*Él es Jesucristo, nuestro Salvador. Ya no estás sola, Él te llamó.*

Made in the USA
Monee, IL
08 November 2023

45992268R00121